KB085935

# 검정고시의 정석

## 도덕

편집부 저

도서
출판 국자감
www.kukjagam.co.kr

목차 —CONTENTS

도덕 1

목차 CONTENTS

도덕 2

ETHICS

1
grade

# 자신과의 관계

E t h i c s

# 01 도덕적인 삶

**1 사람을 사람답게 만드는 것**

## (1) 사람이란 무엇인가?

### 1) 사람의 특성

① 도구적 존재 : 사람은 불리한 신체적 조건을 극복하기 위해 도구를 만들어 사용함

② 문화적 존재 : 언어, 사상, 예술과 같은 문화를 이어 나가고 발전시켜 삶을 더욱 의미 있고 풍요롭게 만듦

③ 이성적 존재 : 사람은 생각할 수 있는 능력을 가지고 있음

④ 사회적 존재 : 사람은 자신이 속한 사회에서 다른 사람들과 더불어 살아감

⑤ 도덕적 존재 : 사람은 자신의 행동을 스스로 선택하고 반성할 수 있음

### 2) 인간의 본성

① 성선설(맹자) : 사람의 본성이 본래 선하다는 입장

② 성악설(순자) : 사람의 본성이 본래 악하다는 입장

③ 성무선악설(고자) : 사람의 본성이 선하거나 악한 것으로 정해져 있지 않다고 보는 입장

### 3) 사람다움

① 도리를 지키며 살아감

② 도덕적인 삶 : 사람에게만 나타나는 고유한 것

③ 도덕의 핵심 요소 : 존중, 배려, 자율성

## (2) 사람다운 사람이란?

### 1) 도덕적인 삶

① 타율 : 자신의 의사가 아니라 다른 사람의 명령이나 지시에 따르는 것

② 타율적인 행동의 문제점 : 도덕적 행동의 지속 불가능, 타인에 대한 의존, 맹목적 행동, 책임 회피 등

③ 자율 : 외부 요인이 아니라 자기 스스로의 원칙에 따라 어떤 일을 하는 것

④ 도덕적인 삶 : 무엇이 옳고 그른지를 스스로 판단해 옳은 행동을 실천하고, 자신의 행동에 책임을 지는 삶

### 2) 더불어 사는 삶

① 사람은 혼자서 살 수 없음

② 사람다운 사람이 되는 방법

  · 다른 사람에게 해를 끼치지 않고, 어려움에 부딪힌 사람을 기꺼이 두움

  · 서로 배려하고 사랑하는 마음을 바탕으로 더불어 사는 삶을 추구함

③ 더불어 사는 삶을 추구하면 삶의 행복을 누리는 사람다운 사람이 될 수 있음

## 2 도덕의 의미와 필요성

### (1) 욕구와 당위

#### 1) 욕구

① 의미 : 무엇을 얻거나 무슨 일을 하고 싶어 하는 것

② 종류 : 물질적 욕구, 정신적 욕구

③ 기능 : 어떤 행동의 동기, 개인의 삶을 활기차게 하고 사회 발전의 바탕이 됨

#### 2) 당위

① 의미 : 우리가 마땅히 해야 하거나 하지 말아야 할 것

② 기능 : 삶을 올바른 방향으로 이끌어 나감

### (2) 도덕

#### 1) 의미 : 사람으로서 마땅히 지켜야 할 도리이자 보편적 사회 규범

#### 2) 필요성

① 올바른 삶을 살아가는 기준이 됨

② 살기 좋은 사회를 만드는 기준이 됨

③ 다른 사람들과 더불어 행복한 삶을 살 수 있게 해줌

법, 도덕, 예절의 특징

| 법 | 도덕 | 예절 |
|---|---|---|
| · 정의 실현<br>· 어겼을 시 법에 규정한 처벌을 받음 | · 사람이라면 마땅히 따라야 할 도리<br>· 모든 사람에게 보편적으로 적용되는 자율적 규범 | · 원만한 인간관계 유지<br>· 다른 사람을 존중하고 배려하는 정신인 도덕이 바탕이 됨 |

(3) **양심**

1) **의미** : 도덕적으로 옳은 것과 그른 것, 선한 것과 악한 것을 구별해 주는 마음의 작용

2) **기능** : 양심은 우리가 잘못된 행동을 거부하고, 도덕적인 행동을 하도록 안내해 주며, 우리가 사람답게 살 수 있는 원동력이 됨

**3** 내가 도덕적이어야 하는 이유

(1) **나에게, 모두에게 이롭기 때문에**

1) **자신의 장기적 이익 증진**

① 비도덕적인 행동 : 당장은 자신에게 이익이 될 수 있으나 장기적으로는 자신의 이익을 방해할 수 있음

② 도덕적인 행동 : 자신의 장기적 이익을 가져올 수 있음

2) **모두의 이익 증진**

① 다른 사람과 원만히 살아가기 위해서 도덕을 지켜야 함

② 도덕을 지키지 않을 때

· 자신의 이익을 보장받을 수 없음

· 안전조차 보장받지 못할 수 있음

· 모든 사람에게 피해를 줄 수 있음

③ 도덕을 지킬 때 : 자신의 이익을 포함한 모두의 이익을 증진시킬 수 있음

(2) **도덕적 의무이기 때문에, 그리고 훌륭한 삶을 위해서**

1) **도덕적 의무**

① 도덕적 의무 : 도덕규범에 근거한, 마땅히 행해야 할 일이나 행동

② 사람다움의 실현

· 모든 사람이 지켜야 할 도덕적 의무를 규정하고 준수함

· 도덕적 의무에 따라 행동함으로써 사람다운 사람이라는 것을 스스로 확인할 수 있음

③ 도덕적이어야 하는 이유

· 도덕적으로 행동하는 것이 옳기 때문

· 도덕적 행동이 도덕적 의무이기 때문

2) **행복한 삶**

① 행복한 삶 추구 : 물질적 조건도 필요하지만 정신적 조건이 더욱 중요함

② 인간은 도덕에서 비롯된 내적 보람을 통해 물질적 쾌락보다 더 큰 행복을 얻을 수 있음

# 02  도덕적 행동

**1 도덕적 사고와 행동**

**(1) 도덕적 행동을 하지 못하는 이유는?**

   **1) 도녁석 사고**

     ① 도덕적 사고의 의미 : 우리가 살아가면서 부딪히는 다양한 도덕적 문제들을 해결하기 위해 신중히 생각하고 판단하는 것

     ② 도덕적 사고의 필요성 : 현대 사회에서 발생하는 도덕 문제는 점점 복잡하고 다양해짐 → 도덕적으로 깊이 생각하고 올바른 판단을 내릴 수 있는 도덕적 사고 능력을 길러야 함

   **2) 도덕적 사고와 행동의 불일치** : 이기심, 도덕적 무관심, 용기 부족

**(2) 도덕적 실천 의지**

   **1) 도덕적 앎**

     ① 도덕적 앎의 의미

       · 어떤 문제가 도덕적 문제 상황이라는 것을 알 수 있음

       · 도덕적 문제 상황에서 옳고 그름을 명확하게 판단할 수 있음

     ② 도덕적 행동을 하기 위해서는 도덕적 앎이 필요함

   **2) 도덕적 실천 동기**

     ① 도덕적 실천 동기의 의미 : 도덕적 행동을 위한 이유, 원인

     ② 도덕적 실천 동기의 예 : 사랑, 공감, 선한 의지 등

   **3) 도덕적 실천 의지**

     ① 도덕적 실천 의지의 의미 : 주어진 상황에서 도덕적 행동을 하려는 굳은 마음가짐

     ② 도덕적 실천 의지를 기르기 위한 노력 : 반성적인 태도, 올바른 습관

**2 도덕적 민감성과 상상력**

**(1) 도덕적 민감성**

   **1) 도덕적 민감성의 의미** : 특정 상황을 도덕적 문제 상황으로 민감하게 받아들이는 것

   **2)** 도덕적 민감성이 뛰어난 사람은 도덕적으로 사고하고 행동할 가능성이 높음

**(2) 도덕적 상상력**

  **1) 도덕적 상상력의 의미** : 도덕적 문제 상황에서 자신의 행동이 나와 다른 사람에게 어떤 영향을 미칠지 상상해 볼 수 있는 능력

  **2) 도덕적 상상력을 발휘하기 위한 조건**

    ① 도덕적 민감성 : 어떤 상황을 도덕적 문제로 받아들일 수 있는 마음의 상태

    ② 공감 : 다른 사람의 감정을 함께 느끼고 이해하는 것

    ③ 다양한 결과 예측 : 자기가 어떤 행동을 했을 때 나타날 수 있는 다양한 결과를 미리 생각해 보는 것

---

**3** 도덕적 추론과 비판적 사고

**(1) 사실 판단, 가치 판단, 도덕 판단**

  **1) 사실 판단**

    ① 있는 그대로의 객관적인 사실을 말하는 것 → 개나리는 노랗다.

    ② 참과 거짓을 명확하게 구분할 수 있음

  **2) 가치 판단**

    ① 어떤 현상에 대해 주관적으로 평가하여 진술하는 것 → 개나리는 예쁘다.

    ② 참과 거짓을 명확하세 구분하기 어려움

  **3) 도덕 판단**

    ① 가치 판단 가운데 도덕과 관련된 판단

    ② 어떤 사람의 인격이나 행위에 대해 도덕적인 관점에서 내리는 판단 → 저 학생은 착하다.

**(2) 도덕적 추론**

  **1) 도덕적 추론**

    ① 의미 : 어떤 도덕 판단에 대한 이유나 근거를 제시하면서 올바른 판단을 이끌어 내는 과정

    ② 도덕적 추론의 과정

      ㉠ 도덕 원리 : 법을 어기는 행동(A)은 옳지 않다.(B)

      ㉡ 사실 판단 : 무임승차(C)는 법을 어기는 행동이다.(A)

      ㉢ 도덕 판단 : 무임승차(C)는 옳지 않다.(B)

  **2) 도덕 원리, 사실 판단의 생략**

    ① 일상생활에서는 도덕적 추론을 할 때 종종 도덕 원리나 사실 판단을 생략함

② 올바른 도덕적 추론을 하려면 생략된 것을 찾을 수 있어야 함

 ⊙ 도덕 원리 : (자연을 훼손하는 행동을 해서는 안 된다.)

 ⓒ 사실 판단 : 꽃을 함부로 꺾는 행동은 자연을 훼손한다.

 ⓒ 도덕 판단 : 꽃을 함부로 꺾어서는 안 된다.

## (3) 비판적 사고

1) **비판적 사고** : 도덕적 추론의 근거가 되는 사실 판단과 도덕 원리를 검토하는 것

2) **정보의 원천 검사** : 사실 판단의 근거가 되는 정보의 신뢰성을 검토하는 것

3) **도덕 원리 검사**

① 역할 교환 검사 : 상대방의 처지에서 도덕 원리를 수용할 수 있는지 생각해 보는 것

② 보편화 결과 검사 : 모든 사람이 같은 도덕 원리를 채택하였을 때 발생할 수 있는 결과를 수용할 수 있는지 생각해 보는 것

## 4 도덕적 성찰

### (1) 도덕적 성찰

1) **도덕적 성찰의 의미**

① 도덕적 성찰 : 마음을 반성하고 살펴, 말과 행동에 잘못이나 부족함이 없는지 돌아보는 것

② 나를 성찰하는 것은 다른 사람과의 관계와 세계를 성찰하는 것으로 확장됨

2) **도덕적 성찰의 중요성**

① 개인적 중요성 : 잘못을 반성하고 스스로 정한 삶의 원칙을 다듬어 가며 지킬 수 있음 → 도덕적 삶을 살 수 있음

② 사회적 중요성 : 평소 깨닫지 못한 사회 문제를 깊이 살피고 고쳐 나갈 수 있음 → 사회와 세계를 더 나은 곳으로 가꾸어 갈 수 있음

### (2) 도덕적 성찰의 방법

1) **도덕적 성찰의 준거**

① 덕(德)과 성품 : 도덕적으로 훌륭한 것, 인간을 선하게 하는 성향이나 성품 → 정직, 사랑, 신뢰, 절제 등

② 보편적 도덕 원리 : 모두에게 똑같이 적용될 수 있는 객관적이고 타당한 원칙

2) **도덕적 성찰의 방법**

① 유교의 경(敬)

 ⊙ 경(敬)의 의미 : 마음을 집중하고 엄숙하게 하여 말과 행동을 조심하는 것

ⓒ 경(敬)의 자세
　　　　· 정신을 산만하지 않게 하는 것
　　　　· 몸가짐을 단정히 하고 엄숙하게 하는 것
　　　　· 항상 깨어 있어서 또렷한 정신을 유지하는 것
　② 불교의 참선 : 잡념을 버리고 마음을 가라앉히는 것
　③ 일상생활의 성찰 방법
　　· 일기쓰기 : 일기를 쓰면서 자신의 일과를 되돌아보고, 잘못한 점을 반성하여 반복하지 않도록 다짐함
　　· 좌우명 활용하기 : 좌우명을 정하고, 이를 지키기 위해 노력하는 과정에서 우리는 더욱 올바른 삶을 살아갈 수 있게 됨
　　· 명상하기 : 자신의 내면에 집중하여 고요한 마음의 상태를 만드는 것

# 03 자아 정체성

**1 진정한 나를 찾아서**

**(1) 나는 누구일까?**

**1) 자아와 자아 정체성의 의미**

① 자아 : 자신을 탐구하는 과정에서 알게 되는 진정한 나의 모습

② 자아 정체성 : 자신의 목표, 성격, 이상, 역할, 가치관 등이 통합된 모습

③ 자아 정체성의 특징 : 자신이 다른 사람과 구별되는 고유한 존재임을 깨닫게 됨

**2) 자아 정체성의 구성 요소**

① 소망 : 자신이 하고 싶은 것

② 능력 : 자신이 할 수 있는 것

③ 의무 : 자신이 해야 하는 것

**(2) 도덕적 책임과 나**

**1) 사회적 관계 속의 나와 도덕적 자아**

① 사회적 관계 속에서 나

· 우리는 다른 사람과의 관계 속에서 다양한 역할과 책임을 지님

· 자신이 속한 집단에서 자신이 해야 할 역할과 도덕적 책임을 파악해야 함

② 도덕적 자아

㉠ 의미 : 다양한 역할에 따른 도덕적 책임을 고려해 파악하는 나

㉡ 역할 : 도덕적 자아를 일관되게 유지하는 사람은 도덕적 정체성을 형성할 수 있음

**2) 도덕적 정체성**

① 도덕적 정체성의 의미 : 도덕성을 자아 정체성의 핵심으로 두고 그것을 소중히 여기는 마음가짐을 지닌 상태

② 도덕적 정체성의 역할 : 도덕적 정체성이 형성된 사람은 도덕적 책임감이 높으므로 도덕적 가치와 기준에 따라 삶을 살아가려고 노력함

③ 도덕적 정체성은 나의 선택과 의지에 따라 만들어짐

**2** 내가 존경하는 도덕적 인물

**(1) 도덕적 인물은 어떤 사람일까?**

　1) 도덕적 인물의 특징

　　① 보편적 가치를 추구하는 데 헌신함

　　② 용기와 강한 의지를 지님

　　③ 장소와 시간을 초월하여 변하지 않는 존경을 받음

　2) 도덕적 인물과 나

　　① 도덕적 모범

　　　· 도덕적 인물은 내가 어떻게 살아가야 할지를 보여 주는 본보기가 됨

　　　· 도덕적 인물은 현재 나의 모습을 반성하는 기준으로 삼아 나를 돌아볼 수 있음

　　　· 도덕적 인물의 삶에서 내가 따를 이상적인 모습을 찾을 수 있음

　　② 도덕적 정체성 형성

　　　· 도덕적 인물을 닮아 가려고 노력하는 것은 도덕적 정체성 형성에 도움을 줌

　　　· 도덕적 인물은 도덕적으로 살겠다는 마음을 다질 수 있게 함

**(2) 존경하는 도덕적 인물의 일생과 나의 삶**

　1) 도덕적 인물 찾기

　　① 나를 감화한 도덕적 인물을 찾음

　　② 사회적으로 성공하지 않더라도 자신의 일을 열심히 하고 주변에 선행을 베푸는 사람은 도덕적 인물이라고 할 수 있음

　2) 도덕적 인물의 일생 조사하기

　　① 도덕적 인물의 일생을 조사함

　　② 도덕적 인물의 다양한 면모를 파악해 존경할 만한 인물인지 판단할 수 있음

　3) 현재 나의 삶과 비교하기

　　① 도덕적 인물의 고민과 나의 고민을 비교해 봄

　　② 도덕적 인물은 나의 고민을 어떻게 해결하였을지 상상함

　4) 나의 도덕적 정체성 찾기

　　① 도덕적 인물의 삶을 바탕으로 나의 도덕적 정체성을 구체적으로 그려 봄

　　② 도덕적 인물에 대한 평가와 내가 받고 싶은 평가를 비교해 봄

**3** 나의 도덕적 신념

### (1) 신념

#### 1) 신념의 의미와 역할

① 신념의 의미 : 스스로 옳다고 굳게 믿는 마음

② 신념의 역할 : 어떤 행동을 하도록 하는 강한 실천 의지가 됨

③ 신념의 중요성
- 자기 삶의 목표 설정에 영향을 미침
- 다른 사람이나 사회에도 영향을 미침

#### 2) 신념을 지닌 사람

① 신념을 지닌 사람의 특징
- 자신이 옳다고 믿는 것을 지키려 함
- 자신의 신념에 따라 행동하는 것이 정당하다고 여김

② 잘못된 신념을 지닌 사람의 특징
- 자신의 삶을 그릇된 방향으로 이끎
- 다른 사람과 사회에 피해를 줌

### (2) 도덕적 신념

#### 1) 도덕적 신념의 의미와 역할

① 도덕적 신념의 의미 : 도덕적으로 옳다고 여기는 생각에 대한 확고한 믿음과 그 믿음을 실현하려는 강한 의지

② 도덕적 신념의 역할 : 도덕적인 판단을 내리고 도덕적인 행동을 실천하도록 이끌어 줌

#### 2) 도덕적 신념의 특징

① 보편적 가치를 담고 있음

② 자신뿐만 아니라 다른 사람과 사회에도 좋은 영향을 미칠 수 있음

#### 3) 도덕적 신념을 실천하기 위한 자세

① 도덕적 신념에 비추어 행동을 반성하기

② 도덕적인 행동을 실천하는 습관 지니기

③ 자신의 욕망을 절제하는 자세 지니기

# 04 삶의 목적

**1 가치의 의미와 바람직한 가치 추구**

**(1) 가치란 무엇인가?**

  1) 가치의 의미

    ① 가치의 의미 : 사람들이 소중하게 생각하여 얻고자 노력하는 것

    ② 사람과 상황에 따라 소중하게 여기는 것이나 어떤 것을 소중하게 여기는 정도가 달라질 수 있음

  2) 가치의 유형

    ① 물질적 가치와 정신적 가치

      ㉠ 물질적 가치 : 사물이나 물건이 지니는 가치 → 의복, 주택, 음식 등

      ㉡ 정신적 가치 : 정신적 만족을 주는 가치 → 지적 가치, 도덕적 가치, 미적 가치, 종교적 가치 등

    ② 도구적 가치와 본질적 가치

      ㉠ 도구적 가치 : 다른 무엇을 위한 수단으로서 지니는 가치

      ㉡ 본래적 가치 : 그 자체로 목적이 되는 가치

    ③ 주관적 가치와 보편적 가치

      ㉠ 주관적 가치 : 다른 사람의 의견과는 상관없이 내가 느끼는 가치

      ㉡ 보편적 가치 : 모든 사람이 받아들일 수 있는 가치

**(2) 내가 추구해야 할 가치는?**

  1) 삶과 가치

    ① 살아가는 데 필요한 다양한 가치가 존재함

    ② 가치의 선택과 삶의 모습 : 어떤 가치를 선택하는지에 따라 삶의 모습이 달라짐

      → 더욱 가치 있고 바람직한 것을 선택해야 함

  2) 궁극적으로 추구해야 할 가치

    ① 그 자체가 목적이 되는 가치를 추구해야 함 → 가치 전도 현상이 나타날 수 있음

    ② 만족감이 오래 지속되는 가치를 추구해야 함

    ③ 다른 사람과 나누어도 줄어들지 않는 가치를 추구해야 함

## 2 나의 삶의 목적

### (1) 목적은 왜 중요할까?

#### 1) 삶의 목적의 의미와 필요성

① 삶의 목적의 의미 : 자신이 이루고 싶은 일이나 삶의 방향

② 삶의 목적의 필요성

· 삶의 목적이 있는 사람 : 큰 어려움 앞에서도 포기하지 않고 꾸준히 나아감

· 삶의 목적이 없는 사람 : 작은 어려움에도 쉽게 포기할 수 있음

#### 2) 삶의 궁극적 목적

① 궁극적 목적 : 어떤 일을 통해 궁극적으로 이루고자 하는 것

② 자신이 추구하는 소중한 가치가 담김

### (2) 내 삶의 목적은 바람직한가?

#### 1) 바람직한 가치 추구

① 삶의 목적은 자신이 추구하는 가치와 관련됨

② 바람직한 삶의 목적 : 소중함이 변하지 않는 가치와 관련된 삶의 목적

#### 2) 바람직한 삶의 목적 설정

① 자신이 추구하는 가치가 올바른 것인지 확인해야 함 : 그 자체가 목적이 되고, 만족감이 오래 지속되며, 다른 사람과 나누어도 줄어들지 않는 가치인지 확인해야 함

② 삶의 목적이 자신뿐만 아니라 다른 사람들과 사회에도 도움을 줄 수 있는 것인지 생각해 보아야 함 : 인간은 사회적 존재이기 때문임

③ 삶의 목적을 세울 때는 현재 자신이 실천해야 하는 구체적인 내용을 함께 마련해야 삶의 목적을 실현할 수 있음

## 3 도덕 공부의 진정한 의미와 목적

### (1) 공부란 무엇인가?

#### 1) 공부의 의미

① 좁은 의미 : 여러 교과목을 배우는 것

② 넓은 의미 : 삶과 관련된 일련의 것을 배우고 익히는 것

#### 2) 도덕 공부

① 도덕 공부 : 사람다운 사람으로 살기 위해 가장 중요한 공부

② 도덕 공부의 필요성 : 훌륭한 인격을 갖추고, 올바른 삶의 목적을 세우며, 삶의 의미를 찾기 위함

## (2) 도덕 공부는 어떻게 해야 할까?

### 1) 도덕 공부의 방법

① 교과 수업과 학교생활을 통해 지식뿐만 아니라 바람직한 삶을 살기 위해 필요한 습관, 규칙, 규범 등을 몸에 익히고 있음

② 다양한 일상의 경험을 통해서 도덕 공부를 하고 있음 : 봉사 활동을 통해 다른 사람의 삶에 관심을 갖기, 부모님을 공경하기 등

### 2) 도덕 공부를 하는 바람직한 자세

① 꾸준히 도덕 공부를 해야 함

② 일상에서 도덕 공부를 실천해야 함

③ 도덕 공부를 통해 다른 사람들의 삶에 관심을 가지고 사회에 도움이 되고자 노력하는 자세를 갖추어야 함

# 05 행복한 삶

**1 진정한 행복**

**(1) 행복이란 무엇일까?**

　1) 행복의 의미 : 삶에서 즐거움과 만족을 느끼는 상태

　2) 행복을 바라보는 다양한 관점

　　① 자신의 욕구를 자유롭게 충족하는 것

　　② 이성에 따라 의미 있는 삶을 사는 것

　　③ 감각적인 즐거움

　　④ 마음의 평화와 만족

　3) 행복의 조건

　　① 객관적인 조건 : 인간다운 삶을 유지하기 위한 건강, 의식주, 교육의 기회 등

　　② 주관적인 조건 : 정신적인 풍요로움이나 보람, 성취감 등

**(2) 행복한 삶을 위한 노력**

　1) 진정한 행복의 조건

　　① 지속적인 것을 추구

　　② 참된 자아실현의 추구

　　③ 도덕적인 삶의 추구

　2) 진정한 행복을 얻기 위한 노력

　　① 도덕적인 삶이 바탕이 될 때 가능함

　　② 자신의 삶에 만족하는 긍정적인 삶의 태도를 가져야 함

　　③ 사회 전체의 행복에 대해서도 관심을 가져야 함

**2 행복한 삶을 위한 좋은 습관의 필요성**

**(1) 좋은 습관은 왜 필요할까?**

　1) 습관의 의미와 역할

　　① 습관의 의미 : 오랫동안 되풀이해 몸에 익은 채로 굳어진 개인적인 행동

　　② 습관의 역할 : 관련된 행동을 쉽고 능숙하게 할 수 있도록 도와줌

③ 습관의 특징
- 우리에게 긍정적·부정저 영향을 미침
- 한번 굳어지면 고치기 어려움
- 우리가 하는 행동을 결정지을 수 있음

> **습관과 관련된 속담, 명언**
>
> - 제 버릇 개 못 준다.
> - 나쁜 습관은 내일보다 오늘 극복하는 것이 쉽다.
> - 요람 속에서 기억한 것은 무덤에까지도 잊지 않는다.
> - 습관은 제2의 천성으로서, 제1의 천성을 파괴하는 것이다.

2) 습관의 중요성
① 공자 : 어떤 습관을 지닐 것인지, 어떤 사람이 될 것인지를 결정하는 중요한 일이라고 여김
② 아리스토텔레스 : 사람을 훌륭하게 하는 것은 단순한 행동이 아니라 반복적으로 하는 행동, 즉 습관이라고 생각함

3) 좋은 습관과 행복
① 좋은 습관 : 절제, 관용, 온화함과 같은 좋은 성품을 길러 주는 습관
② 이성적 판단에 따라 욕구를 충족하는 행위를 반복해 좋은 습관을 들임 → 진정한 행복에 도달할 수 있음

## (2) 좋은 습관을 어떻게 길러야 할까?

1) 좋은 습관을 기르는 방법
① 자신에게 필요한 행동이 무엇인지 깊이 생각하기
② 자신에게 필요한 행동을 꾸준히 실천하기
③ 행복한 삶을 산 사람들의 습관 본받기
④ 실천 의지 강화하기 : 자신의 결심을 주변 사람들에게 알리기, 목표를 잘 보이도록 적어 보기

2) 좋은 습관을 오랫동안 지속하는 방법
① 목표를 이루었을 때 얻을 수 있는 보상만을 목표로 하지 않기
② 자신이 습관으로 기르려는 행동의 의미와 가치 생각하기

## 3 정서적 건강과 사회적 건강

### (1) 건강한 사람이란?

#### 1) 건강한 삶

① 건강 : 신체적 및 정신적으로 완전한 안녕(well-being)을 뜻함

② 건강한 삶 : 사람답게 잘 사는 것까지 포함하며, 행복한 삶을 사는 바탕이 됨

#### 2) 정서적 건강

① 정서의 의미와 종류

ㄱ 의미 : 사람의 마음에 일어나는 여러 가지 감정

ㄴ 종류 :

· 긍정적 정서 : 기쁨, 감사, 사랑 등 → 우리 삶에 활기를 불어넣고 다른 사람과의 관계를 풍요롭게 해 줌

· 부정적 정서 : 짜증, 분노 등 → 스스로를 불안하게 할 뿐만 아니라 다른 사람과의 관계에도 좋지 않은 영향을 줄 수 있음

② 정서적 건강의 의미와 역할

ㄱ 의미 : 자신과 다른 사람의 정서를 이해하고, 상황에 맞게 자신의 정서를 조절할 수 있는 상태

ㄴ 역할 : 충동 조절, 불안 관리, 자신감을 가지고 삶의 목표 추구

#### 3) 정서적 건강을 위한 노력

① 회복 탄력성 기르기 : 어려움을 도약의 발판으로 삼아 더 높이 도전하는 마음의 힘을 기름

② 자신의 모습을 있는 그대로 인정하는 태도 지니기

③ 자신의 감정과 충동을 바르게 알고, 잘 조절하기 위해 노력하기

④ 일상의 작은 일에도 감사하기

### (2) 사회적 건강

#### 1) 사회적 건강의 의미와 역할

① 의미 : 다른 사람과 원활하게 상호 작용함으로써 그들과 원만한 관계를 맺을 수 있는 상태

② 역할

· 다른 사람의 정서를 공감하고 존중함

· 스스로 책임감 있게 행동함

· 효과적인 의사소통으로 갈등을 해결하고 서로 도움을 주고받음

## 2) 사회적 건강을 위한 노력

① 원만한 의사소통을 위해 노력하기

② 다른 사람에 대한 이해와 공감을 바탕으로 서로 배려하기

③ 어려운 사람을 위해 마음과 물질을 나누고 베풀기

④ 다른 사람의 잘못을 너그럽게 용서하기

E
t
h
i
c
s

# 타인과의 관계

# 01 가정 윤리

## 1 가정의 의미와 소중함

### (1) 가정은 어떤 곳일까?

1) **가정의 의미**
   ① 가족 : 혼인, 혈연, 입양 등으로 맺어진 집단
   ② 가정 : 가족 구성원들이 모여 함께 살아가는 생활 공동체 → 공간적 장소이자, 정신적 쉼터

2) **다양한 가정의 유형**
   ① 오늘날에는 사회 변동과 의식 변화에 따라 가정의 유형이 다양해짐
   ② 다양해진 가정의 유형 : 재혼 가정, 한 부모 가정, 다문화 가정, 자녀가 없는 가정, 노인으로만 이루어진 가정 등

3) **가정의 기능**
   ① 의식주를 비롯해 생활하는 데 기본적으로 필요한 것을 제공함
   ② 가족 구성원을 보호함
   ③ 정서적 안정과 휴식을 제공함
   ④ 자녀 출산, 입양, 양육을 통해 사회를 유지함
   ⑤ 한 세대의 문화, 예절, 도덕 등을 다음 세대에 전달함

### (2) 가정에서 발생하는 갈등은 무엇일까?

1) **가정에서 발생하는 갈등의 원인**
   ① 가치관의 차이
   ② 이해와 배려의 부족
   ③ 대화와 소통 부족, 오해 등

2) **가정에서 발생하는 갈등**
   ① 부부 갈등의 예 : 가사나 양육 분담 문제, 자녀 양육 방식에 관한 의견 차이 때문에 생기는 갈등
   ② 부모 자녀 갈등의 예 : 바람직하지 않은 소통 방식, 진로 문제에 관한 의견 차이 때문에 생기는 갈등
   ③ 형제자매 갈등의 예 : 서로 예의를 지키지 않거나 존중하지 않아서 생기는 갈등
   ④ 가정에서 발생하는 갈등을 대하는 자세 : 갈등을 피하기보다는 해결하고자 노력해야 함

## 2 가족 사이의 도리와 오늘날의 효

### (1) 효란 무엇일까?

**1) 자애와 효도**

① 자애(慈愛) : 아무런 대가를 바라지 않고 자녀를 보살피며, 올바른 사람으로 기우러는 부모의 헌신적인 사랑

② 효(孝) : 자녀가 부모의 은혜에 보답하는 것과 정성을 다해 부모를 공경하는 것

**2) 우애**

① 우애(友愛) : 형제자매가 서로 아끼고 정답게 지내는 것

② 형제자매가 서로 우애를 실천하는 방법 : 서로 가깝고 정답게 지내야 하며, 형은 동생을 사랑하고 동생은 형을 공손하게 대하며 서로를 존중해야 함

**3) 부부 사이의 도리**

① 전통 사회 : 상경여빈(相敬如賓)의 예를 갖추고, 남편은 남편으로서, 아내는 아내로서의 역할을 다하는 것을 부부 사이의 도리로 여김

② 오늘날 : 남편과 아내가 서로 역할에 관한 고정 관념에서 벗어나 평등한 관계를 추구함

③ 바람직한 부부의 모습

· 가사와 육아를 적절히 분담하고, 갈등이 생겼을 때는 대화를 통해 서로 의견을 나누고 협력해서 해결함

· 사랑을 바탕으로 서로 배려하고 존중함

## 3 세대 간 대화와 소통

### (1) 세대 간 대화와 소통이 중요한 이유는 무엇일까?

**1) 세대 차이**

① 부모와 자녀는 사용하는 말, 다른 사람을 대하는 태도, 사고방식, 가치관 등에서 세대 차이를 느낌

② 부모와 자녀는 세대 차이 때문에 학업, 진로 문제, 친구 관계 등에 관해 대화할 때 소통의 어려움을 겪기도 함

**2) 잘못된 의사소통**

① 부모가 자녀를 존중하지 않고 자녀의 생활에 지나치게 간섭하는 것

② 자녀가 말과 행동에서 부모에 대한 예의를 지키지 않는 것

③ 부모와 자녀가 서로의 생각 차이를 인정하지 않고 자신의 의견만 고집하는 것 등

### 3) 유대감 약화

① 오늘날 부모와 자녀는 각자의 일로 바빠 함께 보내는 시간이 줄어들고 있음 → 서로를 잘 이해하지 못해 유대감이 약화되기도 함

② 세대 간의 유대감이 약화되면 서로에게 무관심해지고, 대화와 소통이 더 어려워질 수 있음

## (2) 세대 간 대화와 소통을 하기 위한 자세

### 1) 세대 간 대화와 소통의 방법

① 경청과 공감 : 상대방의 이야기를 있는 그대로 끝까지 듣고, 그 내용을 진지하게 받아들이려는 자세가 필요함

② 존중과 배려 : 일방적으로 자기 생각만 이야기하는 것이 아니라 상대방의 입장을 고려해서 이야기해야 함

③ 솔직한 자세와 꾸준한 노력 : 가족 사이의 대화와 소통은 일시적인 것이 아니라 지속적인 것이어야 하고, 그때그때 감정을 솔직하게 표현할 때 서로를 더 잘 이해할 수 있음

### 2) 바람직한 가정을 이루기 위해 노력할 점

① 각자의 역할과 책임에 충실하기

② 가족 구성원들과 함께하는 시간 가지기

③ 가족 구성원들끼리 충분한 의사소통하기

# 02 우정

## 1 우정의 의미와 소중함

### (1) 우정이란 무엇일까?

**1) 우정의 의미**

① 우정의 의미 : 친구 사이에 나누는 따뜻한 정과 믿음

② 진정한 우정 : 서로에게 진실한 것을 깨우쳐 주고 올바른 길로 이끌어 주는 것

**2) 우정의 특징**

① 서로를 동등한 존재로 인정하는 평등한 관계에서 생겨나는 감정으로, 우정을 나누는 친구 사이에서는 나이의 많고 적음에 관계없이 서로를 존중함

② 상대방이 잘되기를 바라는 이타적인 마음이 바탕이 됨

③ 오랜 시간이 지나도 쉽게 변하지 않음

④ 인생에 큰 영향을 미침

---

우정과 관련된 고사성어

· 죽마고우(竹馬故友) : 대나무 말을 타고 놀던 벗이라는 뜻으로, 어릴 때부터 같이 놀며 자란 벗을 이르는 말

· 금란지교(金蘭之交) : 쇠보다 견고하고 난초보다 향기롭다는 뜻으로, 매우 친밀한 사귐이나 두터운 우정을 비유적으로 이르는 말

· 막역지우(莫逆之友) : 서로 거스름이 없는 친구라는 뜻으로, 허물이 없이 아주 친한 친구를 이르는 말

· 관포지교(管鮑之交) : 관중과 포숙의 사귐이라는 뜻으로, 우정이 매우 돈독한 친구 관계를 이르는 말

---

### (2) 우정은 왜 소중할까?

**1) 청소년기의 특징**

① 청소년기는 가치관이나 성격을 형성하는 중요한 시기임

② 가족의 울타리를 벗어나 새로운 관계를 맺으려는 욕구가 강해짐

③ 친구와 나누는 우정을 매우 중요하게 생각하고, 친구들과 또래 집단을 형성하기도 하며, 더 많은 시간을 함께 보내려고 함

### 2) 청소년기 우정의 중요성
① 정서적 안정과 행복감 : 친구란 '내 슬픔을 등에 지고 가는 자'라는 의미임
② 인격적 성장 : 친구와 함께하는 시간에서 책임, 배려, 협력 등을 배움
③ 우정의 사회적 확대 : 시민 사회의 소통, 교류, 상호 협력 등으로 확대됨 → 따뜻한 공동체 형성

## 2 진정한 친구와의 사귐

### (1) 진정한 친구란 누구일까?

#### 1) 진정한 친구의 의미
① 나와 마음을 깊게 나눌 수 있는 사람
② 선의의 경쟁을 통해 서로 성장할 수 있는 친구
③ 조언을 아끼지 않는 친구 : 맹자 – "선행을 하도록 돕는 것이 진정한 친구이다."
④ 서로를 배려하며 친구의 상황을 헤아리고 도움을 주려는 친구

#### 2) 진정한 친구 관계
① 친구의 중요성(공자)
    ㉠ 이로운 친구 : 정직하고, 믿음과 의리가 있고, 널리 배워 많이 아는 사람
    ㉡ 해로운 친구 : 줏대가 없고, 아첨하고, 말과 행동이 다른 사람
② 청소년기의 친구 사귐의 중요성
    · 청소년기 : 또래 친구들과의 관계가 중요한 시기로, 친구의 영향력이 큼
    · 친구는 많은 영향을 주고받으며 서로 닮아가고, 자신의 모습을 비추는 거울과 같은 존재
    · 본받을 만한 친구를 알아보는 안목을 길러야 하며, 나도 다른 사람에게 좋은 영향을 주는 친구가 될 수 있도록 노력하는 자세를 지녀야 함

## 3 진정한 우정을 맺는 방법

### (1) 친구와의 갈등 해결

#### 1) 갈등의 발생 : 다른 인간관계처럼 친구 사이에서도 갈등은 발생할 수 있음

#### 2) 친구 간의 갈등이 생기는 이유
① 기본 예절의 부족
② 배려 부족

### 3) 친구 간의 갈등의 해결

① 상대방의 입장을 충분히 듣고, 정확한 사실에 따라 갈등의 원인을 생각해 봄

② 자신의 생각과 감정을 전달하며, 상대방의 관점에서도 생각해 봄

③ 다양한 성격의 차이를 인정하고 배려하면서 갈등을 극복해야 함

## (2) 진정한 우정을 맺기 위한 바람직한 자세

**1) 존중의 마음과 자세** : 가까운 사이라도 함부로 대하지 않고, 인격적으로 존중해야 함

**2) 믿음의 말과 행동** : 붕우유신, 교우이신 → 친구 간의 믿음을 강조

**3) 진실한 배려** : 친구가 처해있는 어려움과 감정을 헤아려 보기 → 역지사지의 자세

# 03 성 윤리

## 1 성과 사랑의 의미

### (1) 성과 사랑의 의미는 무엇일까?

1) 성의 의미

① 생물학적인 성(sex) : 생물학적으로 남성과 여성을 구분하는 신체적 · 생리적 특징

② 사회 · 문화적인 성(gender) : 사회적 기대와 평가가 담긴 의미

③ 욕망으로서의 성(sexuality) : 성에 대한 인간의 태도, 감성, 가치관, 문화 등을 포괄하는 '성적인 것의 전체'를 의미

2) 성의 가치

① 생식적 가치 : 생명을 탄생시키며 후손을 남길 수 있음

② 쾌락적 가치 : 인간의 기본적 욕구로 쾌락을 느낄 수 있음

③ 인격적 가치 : 동물과 구별되는 특징으로, 서로에 대한 사랑과 책임을 확인할 수 있음

3) 사랑의 의미

① 사랑의 의미 : 어떤 사람이나 존재를 몹시 아끼고 귀중히 여기는 마음

② 사랑의 종류

· 에로스(Eros) : 남녀 간의 사랑으로, 정열적이고 감각적인 사랑

· 아가페(Agape) : 조건 없이 베푸는 숭고하고 거룩한 사랑

· 필리아(Philia) : 우정과 같은 친구들 간의 다정한 정신적인 사랑

③ 진정한 사랑 : 열정, 친밀감, 헌신이 균형을 이루는 관계를 맺는 것

### (2) 성과 사랑은 어떤 관계일까?

1) 성적 욕망과 사랑의 구분

① 성적 욕망 : 본능적인 감정, 나의 욕망을 추구, 순간적인 충동

② 사랑 : 존중과 배려, 상대방이 원하는 것을 이루어 주고자하는 마음, 지속적인 헌신

2) 성과 사랑의 관계

① 욕구를 절제하고 배려하는 마음을 길러야 함

② 성과 사랑에 대한 바람직한 가치관을 확립함

**2** 청소년기의 바람직한 성 윤리

(1) 청소년기의 성 문제

1) 청소년기의 변화

① 신체적 · 정신적으로 크게 변화하고 성장함

② 성적 관심과 욕망이 자연스럽게 증가함

2) 청소년기와 성 문제

① 잘못된 인식 : 성에 대한 혐오감과 혼란을 일으킬 수 있음

② 중독과 범죄 : 대중 매체나 스마트폰, 인터넷 등의 왜곡된 정보들은 성 상품화를 부추기고 중독과 성범죄의 원인이 됨

(2) 청소년기의 바람직한 성 윤리

1) 청소년기의 성 윤리의 필요성

① 성 윤리 : 성과 관련된 바람직한 행위 기준

② 성 윤리의 필요성

· 청소년기에는 성에 대한 호기심이 증가하고 충동적으로 성적 행위를 할 수 있음

· 청소년기에 형성된 성에 대한 태도는 성인이 된 이후까지 영향을 미침

2) 바람직한 성 윤리

① 성에 대해 올바르게 인식 : 양성평등, 성적 욕망의 조절

② 성에 대한 분명한 의사표시와 책임감 있는 행동

③ 지나친 성적 호기심을 미래를 위한 다양한 활동으로 승화하려는 자세

④ 사회적 차원의 노력 : 올바른 성교육, 유해 환경 개선 등

**3** 이성 친구와 바람직한 관계를 형성하는 방법

(1) 이성 친구를 사귀면?

1) 이성 친구의 의미

① 좁은 의미 : 이성 교제 중인 상대방을 가리킴

② 넓은 의미 : 성별이 다른 친구로, 동성 친구와 여러 가지 면에서 다름을 인정하고 서로 배려해야 함

2) 이성 교제의 긍정적 영향

① 우리의 삶에 활력과 즐거움을 줌

② 자신을 되돌아보며 인격을 성장시키는 데 도움을 줌

③ 서로 다른 인격체를 이해하는 기회가 됨

### 3) 이성 교제의 부정적 영향

① 학업에 소홀해질 수 있음

② 다른 친구들과의 우정에 소홀해질 수 있음

③ 헤어짐에 대한 두려움, 데이트 비용 등으로 스트레스를 받기도 함

## (2) 바람직한 이성 교제의 자세

### 1) 존중과 이해

① 남녀는 신체적 특징뿐만 아니라 사고방식에도 많은 차이가 있음

② 자신의 의사를 분명하게 표현해 오해가 생기지 않도록 해야 함

### 2) 기본적인 예절 준수

① 이성 친구와의 관계 역시 사회적 관계임

② 약속 시간 잘 지키기, 올바른 언어 사용하기, 상대방의 기분을 배려하여 행동이나 말조심하기 등

### 3) 균형과 조화 추구

① 청소년기는 학업을 통해 자신의 미래를 탐색하고, 인격을 함양해 나가는 중요한 시기임

② 이성 교제 이외에도 다양한 활동을 경험해 보는 것, 진정한 우정을 쌓는 것, 가족 간에 화목하게 지내는 것 등도 소홀히 해서는 안 됨

# 04 이웃 생활

**1 다양한 이웃과 이웃의 소중함**

**(1) 누가 나의 이웃일까?**

　1) **이웃의 의미** : 나와 인간관계를 맺고 더불어 살아가는 사람들

　2) **전통 사회의 이웃**

　　① 가까운 곳에 함께 사는 사람, 신뢰와 우정이 매우 깊었음 → 이웃사촌

　　② 상부상조의 전통

　　　㉠ 계 : 현실적인 이익과 친목을 위한 모임

　　　㉡ 두레 : 마을 단위의 공동 노동조직으로 함께 노동에 참여하고 품삯을 받음

　　　㉢ 품앗이 : 품삯을 주고받지 않는 1대 1의 교환노동방식

　　　㉣ 향약 : 권선징악과 상부상조를 목적으로 하는 향촌의 자치규약

　　　　　　(과실상규, 덕업상권, 예속상교, 환난상휼)

　3) **현대 사회의 이웃**

　　① 교통과 통신의 발달로 이웃의 범위가 넓어지고 종류도 다양해짐

　　② 다양한 이웃 등장 : 세계 시민들, 다문화 이웃, 사이버 이웃 등

**(2) 이웃은 왜 소중할까?**

　1) **이웃 간의 단절 현상** : 경쟁의 심화, 개인 생활을 우선시하는 분위기, 이웃에 대한 무관심, 공동 주택의 보편화 등

　2) **이웃의 소중함**

　　① 이웃과 더불어 살아가는 과정에서 인격적으로 성장할 수 있음

　　② 아픔과 고통을 함께 나누며 협력과 나눔의 가치를 배울 수 있음

　　③ 함께하는 행복과 사랑을 통해 가치 있는 삶의 의미를 깨달을 수 있음

**2 이웃 간의 관계에서 필요한 도덕적 자세**

**(1) 바람직한 이웃 관계를 맺으려면?**

　1) **오늘날의 이웃 관계**

　　① 이웃에 관해 잘 모르거나 무관심한 경우가 많음

　　② 이웃 간의 문제가 생기면 이를 원만하게 해결하지 못하고 갈등이 발생하기도 함

2) 이웃 간의 관계에서 필요한 도덕적 자세

① 관심 : 나부터 이웃에게 관심을 두려고 노력해야 함

② 배려 : 이웃의 입장을 먼저 생각하며 그 사람의 어려움을 도와주고 보살펴 주려고 마음을 써야함

③ 양보 : 이웃의 처지를 이해하고 조금만 양보한다면, 이웃 간의 다양한 문제들을 원만하게 해결할 수 있음

④ 기본예절을 지킴 : 작은 일에서부터 이웃에 대한 예절을 지킴

## (2) 봉사활동을 통한 배려의 실천

### 1) 봉사의 의미와 필요성

① 봉사의 의미 : 이웃에 대한 배려를 적극적으로 표현하고 실천하는 자세

② 봉사의 필요성

- 이웃의 아픔을 함께 나눌 수 있고, 이웃과 정을 나누는 법을 배울 수 있음
- 이웃에게 필요한 도움을 살피는 과정에서 역지사지를 실천할 수 있음
- 이웃에 대한 배려를 실천하며 올바른 인격을 형성할 수 있음
- 국가나 사회 기관의 노력만으로 해결하기 어려운 큰일을 시민들의 자발적인 봉사활동으로 이루어 내기도 함

### 2) 봉사의 특징

① 자발성 : 이웃의 문제를 자기 일로 받아들여 스스로 해결하고자 노력하는 것

② 무대가성 : 봉사의 대가로 정신적 보람과 만족 외에는 아무런 것도 바라지 않는 것

③ 지속성 : 한두 번에 끝나는 것이 아니라 꾸준히 실천하는 것

### 3) 봉사 활동의 바람직한 자세

① 관심, 공감하려는 마음

② 공동체의 규칙을 지키고 솔선수범하려는 자세

③ 역지사지(易地思之)의 자세 : 받기 전에 먼저 주고자 하는 태도

④ 나의 상황에서 작은 일에서부터 배려와 봉사를 실천하려는 태도

# 사회 · 공동체
# 와의 관계

Ethics

# 01 인간 존중

## ▨ 인간 존엄성과 인권

### (1) 인간 존엄성이 소중한 이유는 무엇일까?

#### 1) 인간 존엄성의 의미와 특징

① 인간 존엄성의 의미 : 인간이기 때문에 지니는 절대적 가치로, 모든 인간은 인간이라는 이유만으로 존엄하게 대우받아야 함

② 인간 존엄성의 특징

　· 보편적 가치 : 시대와 장소에 관계없이 모든 인간이 누려야 함

　· 절대적 가치 : 다른 어떤 것과도 바꿀 수 없으며 누구도 침해할 수 없음

#### 2) 동·서양의 인간 존중 사상

① 공자의 인(仁) : 인(仁)을 실천하는 삶

② 석가모니의 자비(慈悲) : '내가 소중하듯 남도 소중하며, 나와 남을 하나로 여겨 크게 사랑하라'

③ 예수의 아가페 : 조건 없는 사랑

④ 단군의 홍익인간(弘益人間) : '널리 인간을 이롭게 하라'

⑤ 동학의 인내천(人乃天) : '사람이 곧 하늘'

### (2) 인권은 무엇이고, 왜 소중할까?

#### 1) 인권의 의미 : 누구나 인간으로서의 존엄성을 누리기 위해 마땅히 보장받아야 할 권리

#### 2) 인권의 특징

① 보편성 : 인종, 성별, 종교에 관계없이 모든 사람이 누려야 함

② 천부성 : 인권은 태어날 때부터 가지는 권리임

③ 불가침성 : 어떠한 경우에도 절대로 침해할 수 없음

### (3) 인간 존엄성 실현과 인권 보장

#### 1) 인간 존엄성 실현 조건

① 자신의 존엄성을 존중받고 싶은 만큼 다른 사람도 존중하고 배려해야 함

② 지금 우리가 누리는 인권은 이전 세대의 희생과 노력의 결실임을 잊지 않아야 함

③ 인권 감수성을 길러야 함

2) 인권 보장을 위한 태도

① 주변의 인권 문제에 민감하게 반응하기

② 인권을 침해받은 사람의 고통에 공감하기

③ 인권 문제 발생 시 함께 해결하려는 태도 갖추기


## 2 사회적 약자와 인권

### (1) 사회적 약자가 겪는 어려움은 무엇일까?

1) 사회적 약자

① 사회적 약자의 의미 : 정치적·경제적·사회적·문화적으로 소외되거나 불리한 위치에 있어 어려움을 겪는 사람들

② 우리 주변의 사회적 약자 : 장애인, 빈곤층, 노인, 이주 노동자, 북한 이탈 주민 등

2) 사회적 약자가 생기는 이유

① 편견과 차별 : 정당하지 않은 이유로 특정 집단이나 사람을 불리하게 대우함

② 경쟁적 사회 분위기 : 결과만을 지나치게 중시하거나 경쟁이 과도하게 이루어질 경우 경쟁에서 밀려난 사람들은 사회적 약자가 됨

### (2) 사회적 약자를 어떻게 대할 것인가?

1) 개인적 노력

① 역지사지 : 편견을 버리고, 사회적 약자의 처지를 생각함

② 인권 감수성 : 사회적 약자가 겪는 차별을 인권 문제로 민감하게 느낌

③ 공감과 배려 : 역지사지와 인권 감수성을 바탕으로 사회적 약자의 고통에 공감하고 그들을 배려함

2) 사회적 노력

① 최소한의 생계를 유지하고 기본적인 문화생활을 누릴 수 있도록 지원함

② 능력을 발휘할 수 있도록 지원함

③ 진학과 취업 등에서 기회, 혜택을 받을 수 있도록 배려하는 정책을 시행함


## 3 양성 평등의 실천

### (1) 성차별은 왜 문제일까?

1) 성역할

① 성역할의 의미 : 남성과 여성에게 사회적으로 기대하는 행동 양식이나 역할

② 성역할의 특징 : 시대와 환경에 따라 변화함

③ 성역할에 관한 고정관념의 예 : 남성은 생계를, 여성은 가사와 자녀 양육을 책임져
야 한다는 생각

## 2) 성차별

① 성차별의 의미 : 성별에 따라 부당하게 차별하는 것

② 성차별의 예 : 성별을 이유로 취업이나 승진 등에서 차별하는 것, 가정이나 사회에
서 성별에 따라 특정한 역할이나 행동을 강요하는 것

③ 성차별의 문제점 : 개인의 자아실현이나 행복을 추구하기 어렵고, 인권이 추구하는
평등의 가치에 어긋남


## (2) 양성평등을 어떻게 실천할까?

1) **양성평등의 의미** : 남성과 여성이 법적 · 사회적으로 성별에 따라 부당하게 차별받지
않는 것

2) **양성평등과 인권의 관계** : 양성평등은 인간의 존엄성, 인권적 차원에서 논의되어야 하
며 남녀 간을 상호 보완적 관점에서 바라보고 동반자로 인식함

3) **양성평등을 실현하기 위한 노력**

① 개인적 차원 : 성 역할에 대한 고정관점에서 빗어나기

② 사회직 차원 : 법률적 · 제도적 장치 마련

③ 사회 · 문화적 차원 : 매체 등의 성차별적 내용 개선

# 02 문화 다양성

## 1 문화 다양성과 다문화 사회

### (1) 문화 다양성은 왜 필요할까?

#### 1) 문화와 문화 다양성

① 문화 : 인간이 이루어낸 모든 생활양식

② 문화 다양성 : 지역이나 사회마다 문화가 다양하게 나타남

③ 문화 다양성이 나타나는 이유 : 인간 집단마다 살아가는 환경과 그에 적응하는 방식이 다름

#### 2) 문화 다양성이 필요한 이유

① 다양한 문화는 인류의 삶을 더욱 풍요롭게 만들 수 있음

② 다른 문화 경험은 그 자체로 즐거운 일

③ 다른 문화 경험은 자기 문화에만 갇혀 있던 시각을 열어 창의성을 키울 수 있음

④ 다른 문화와의 교류는 서로의 문화를 발전시키는 계기가 됨

### (2) 우리 안의 다문화는 어떤 모습일까?

#### 1) 다문화 사회

① 다문화 사회 : 다양한 문화가 공존하는 사회

② 우리나라에서 볼 수 있는 다문화의 예 : 다른 나라의 전통 음식을 파는 식당, 외국인이 많이 사는 거리에 있는 외국어로 된 간판 등

#### 2) 다문화 사회의 새로운 과제

① 문화적 차이로 인한 편견이 차별로 이어질 수 있음

② 문화적 차이가 오해를 불러일으켜 갈등, 원활한 의사소통이 어려움

③ 각기 다른 가치관이나 정서 차이로 인한 충돌

#### 3) 다문화 사회에서 필요한 자세

① 국제결혼, 이주 노동자 등의 증가로 우리나라도 다문화 사회로 접어듦 → 다문화 사회를 살아가기 위한 올바른 자세가 필요함

② 다양한 문화를 지닌 사람들을 새로운 이웃으로 여기는 자세

③ 다른 나라의 문화를 존중하는 자세

④ 다양한 문화가 조화를 이룰 수 있도록 노력하는 자세

**2** 문화를 바라보는 태도

**(1) 다양한 문화를 어떻게 바라볼 것인가?**

    **1) 자문화 중심주의**

        ① 의미 : 자신의 문화를 기준으로 다른 문화를 열등한 것으로 여기는 태도

        ② 문제점 : 국수주의로 빠질 위험이 있고 다른 문화를 무시하는 태도로 이어질 수 있음

    **2) 문화 사대주의**

        ① 의미 : 자신의 문화를 낮게 평가하고, 다른 문화를 우수한 것으로 여겨 그것을 동경하는 태도

        ② 문제점 : 다른 문화를 비판 없이 받아들여 자기 문화의 정체성을 잃어버리게 할 수 있음

    **3) 문화 상대주의**

        ① 의미 : 그 문화가 생기게 된 배경이나 원인을 그 사회의 관점에서 이해하려는 태도

        ② 필요성 : 다른 문화를 존중할 수 있고, 문화 다양성을 높일 수 있음

**(2) 모든 문화를 항상 존중해야 할까?**

    **1) 도덕적 회의주의와 도덕적 상대주의의 문제점**

        ① 도덕적 회의주의 : 세상에는 옳은 것도 없고 그른 것도 없다고 보는 태도

        ② 도덕적 상대주의 : 서로 다른 사회에는 서로 다른 도덕 법칙이 있으며, 옳고 그름은 관점의 문제일 뿐이라는 태도

    **2) 보편적 규범과의 조화**

        ① 인간 존엄성과 인권을 침해하는 인류의 보편적 가치에 어긋나는 문화는 존중할 수 없음 → 문화 상대주의를 바탕으로 다른 문화를 존중한다는 것은 보편적 규범에 어긋나는 문화까지 인정한다는 의미가 아님

        ② 자기 문화와 다른 문화를 바라볼 때는 보편적 규범을 기준으로 성찰해야 함

**3** 다문화 사회의 갈등

**(1) 다문화 사회에서 갈등이 발생하는 이유는 무엇일까?**

    **1) 다문화 사회에서의 갈등 원인**

        ① 문화적 차이에 대한 이해 부족

        ② 다른 문화에 대한 편견과 고정 관념

    **2) 다문화 사회의 갈등 해결의 중요성**

        ① 갈등이 지나침 → 사회 혼란이 발생함

    ② 갈등을 잘 해결함 → 사회의 문화가 다양해지고 발전함

    ③ 다른 문화권 사람에게 무조건 우리 문화를 따르게 함 → 문화 다양성을 해치고 갈등이 더욱 심해짐

    ④ 문화 다양성을 지나치게 강조함 → 우리 사회의 통합이 약해짐

## (2) 다문화 사회의 갈등을 어떻게 해결할 수 있을까?

### 1) 다문화 사회의 갈등 해결을 위한 조건

    ① 다름을 인정함 → 자신과 다르다고 차별하지 않는 것

    ② 문화적 차이를 존중함 → 문화가 생기게 된 배경을 그 사회의 관점에서 이해하는 것

    ③ 외국인, 다문화 가정이 살아온 문화가 우리와 다르다는 사실을 이해해야 함

### 2) 문화 간의 갈등 해결에 필요한 도덕적 태도

    ① 관용 : '나와 다른 것이 틀린 것은 아니다.' 라는 자세 갖기

    ② 역지사지와 배려 : 상대방의 처지에서 상대방의 감정에 공감하며 이해하기

    ③ 출신 국가의 경제 수준을 기준으로 차별 대우를 하지 않기

# 03 세계 시민 윤리

**1** 나는 세계 시민인가?

**(1) 세계 시민이란?**

  **1) 세계화**

    ① 세계화 : 전 세계의 여러 나라가 정치, 경제, 문화 등 다양한 영역에서 서로 의존하고 세계가 하나로 연결되는 현상

    ② 원인 : 교통과 통신의 발달로 사람, 물건, 정보, 자본 등의 흐름이 자유로워짐

  **2) 세계 시민**

    ① 세계 시민 : 민족이나 국가와 같은 지역 공동체를 넘어 지구 공동체의 구성원으로 살아가는 사람

    ② 세계 시민의 필요성 : 각자의 역할에 충실하며, 보편적 가치를 소중히 여기는 삶이 출발점

**(2) 세계 시민이 되려면?**

  **1) 세계 시민이 되기 위한 도덕적 자세**

    ① 전 지구적 차원의 세계 시민 의식 : 지구 전체와 미래 세대까지 고려함

    ② 적극적인 자세 : 봉사활동, 후원 등의 힘을 모아 문제를 해결함

    ③ 개방적 자세 : 전통문화 등을 다른 문화권과 함께 계승할 수 있는 밑바탕이 됨

    ④ 보편적 예절 : 친절, 배려, 관용, 존중, 공정 등의 지구촌 예절을 준수함

  **2) 바람직한 정체성 확립**

    ① 세계 시민 의식을 지닌다고 해서 한국인으로서의 정체성을 포기해야 하는 것은 아님

    ② 한국인으로서의 정체성의 원천이 되는 가치

     · 홍익인간(弘益人間) : 사람이 사는 세상을 널리 이롭게 함

     · 경천애인(敬天愛人) : 하늘을 공경하고 인간을 사랑함

    ③ 한국인으로서의 정체성의 원천이 되는 가치와 인류의 보편적 가치의 조화를 추구해야 함

## ❷ 세계 시민이 직면한 도덕 문제

### (1) 세계 시민이 겪는 다양한 문제

#### 1) 지구 공동체의 문제에 관심을 가져야 하는 이유

① 어려운 처지의 지구촌 이웃을 돕는 것은 인간으로서 당연한 노리이기 때문

② 지구 공동체의 문제는 여러 나라가 힘을 모아야 해결할 수 있기 때문

③ 지구 공동체의 문제는 우리의 문제와도 밀접하게 연결되어 있기 때문

#### 2) 세계 시민이 직면한 도덕 문제

① 경제 및 사회 정의의 훼손 : 부의 불평등한 분배 문제 발생

② 지구 환경 파괴 : 과도한 에너지 소비 및 개발로 인한 환경 파괴 발생

③ 문화 다양성의 훼손 : 전 세계의 문화가 강대국의 문화로 획일화되는 문제 발생

④ 평화의 위협 : 영토나 자원 확보를 둘러싼 갈등, 종교나 이념의 대립 등 분쟁과 전쟁 발생

### (2) 국가 공동체와 세계 공동체

#### 1) 국가적 시민과 세계 시민 간의 갈등 : 자국의 문제 해결이 우선일 수도 있으나, 세계 시민으로서 지구 공동체의 어려움 해결도 외면할 수 없음

#### 2) 국가 시민성과 세계 시민성 : 국가 시민성은 맹목적이고 배타적인 애국심이 아니며, 세계 시민성이 한국인의 정체성 상실도 아니므로 상호 균형과 조화를 이루어야 함

## ❸ 세계 시민이 직면한 도덕 문제의 해결 방안

### (1) 지구 공동체의 문제를 해결하기 위한 다양한 노력

#### 1) 국가와 국제기구

① 국가의 노력 : 국가는 지구 공동체가 직면한 문제들을 해결하는 중요한 주체임

② 국제기구의 노력 : 국제적 안보 공조, 경제 개발 협력 증진, 인권 개선, 난민이나 아동 보호 사업 등

#### 2) 비정부 기구와 민간단체

① 비정부 기구의 노력 : 인권, 환경, 경제 등 여러 분야에서 인도주의적 목적을 위해 활동함

② 민간단체의 노력 : 국제 봉사 활동, 공정 무역 등을 통해 사회적 책임을 실천함

#### 3) 개인

① 국가, 국제 기구, 비정부 기구, 민간단체의 활동에 다양하게 참여함

② 일상생활에서 환경 보전을 위해 노력함

③ 공정 무역 제품을 구매해 지구 공동체 이웃의 인권을 보장함

(2) **지구 공동체의 문제를 해결하기 위해 어떤 자세가 필요할까?**

　1) **도덕적 문제 해결을 위한 세계 시민의 자세**

　　① 자연을 정복의 대상이 아닌 조화와 공존의 대상으로 인식하기

　　② 국가 간 격차, 기아와 빈곤 등을 해결하기 위한 공적 원조하기

　　③ 세계 평화를 위한 분쟁과 전쟁을 적극적으로 저지하고 예방하기

　　④ 문화적 다양성의 차이를 이해하고 존중하기

　　⑤ 적극적인 봉사 활동 등 실천적인 활동에 동참하기

　2) **세계 문제의 개선을 위한 세계 시민의 참여**

　　① 세계 문제의 해결 : 국가 간 제도적 · 기술적 차원뿐만 아니라 개개인의 작은 실천도
　　　필요하고, 광범위한 추상적 인식만이 아닌 실질적 실천 활동이 필요함

　　② 세계 시민으로서 역할 : '나'와 '내 주변'에 관한 관심과 노력, 작은 실천적 활동에
　　　서 출발하며, 세계 상황에 관심을 가져 전 지구적인 문제를 인식하고 지구 공동체의
　　　아픔에 공감함

ETHICS

grade

Ethics

# Ⅰ

# 타인과의 관계

# 01 정보 통신 윤리

## 1 정보화 시대에 발생하는 도덕 문제

### (1) 정보화 시대와 우리의 삶

1) **정보화 시대** : 사회의 모든 분야가 정보를 중심으로 움직이고 변화됨

2) **정보화 시대의 특징**

① 컴퓨터, 다중 매체, 통신 수단의 발달 → 정보의 대량 생산, 소비가 빨라짐

② 사이버 공간의 등장 → 장거리 의사소통 및 정보 교류가 가능해짐

### (2) 정보화 시대의 도덕 문제

1) **사생활 침해** : 사이버 공간에 개인 정보가 유출되면 범죄에 악용될 수 있음

2) **인터넷 중독** : 정상적인 일상생활이나 현실에서의 인간관계 형성에 어려움을 겪게 됨

3) **저작권 침해** : 다른 사람의 지적 창작물을 불법으로 복제 · 거래하여 정신적 · 경제적 피해를 줌

4) **사이버 폭력** : 허위 사실 유포, 악성 댓글 등으로 피해자에게 엄청난 정신적 충격을 줌

5) **해킹이나 컴퓨터 바이러스 유포** : 불특정 다수에게 경제적 손실과 정신적 피해를 줌

6) **정보 격차** : 빈부 격차와 불평등, 소외 등의 문제가 심화됨

## 2 정보화 시대에 도덕적 책임

### (1) 사이버 공간의 특징과 도덕적 책임의 필요성

1) **사이버 공간의 특징**

① 익명성 : 현실의 자신이 누구인지 밝히지 않아도 됨

② 개방성 : 누구에게나 개방되어 있어 자유로운 의견 제시가 가능함

③ 자율성 : 누구나 자발적으로 참여할 수 있음

④ 비대면성 : 상대방과 얼굴을 맞대지 않고 의사소통이 가능함

2) **도덕적 책임의 필요성**

① 익명성을 악용하여 무책임한 행동을 함

② 잘못된 정보의 개방과 공유로 인한 피해가 발생함

③ 비대면성의 특성으로 현실 공간에서 하기 어려운 말이나 행동을 쉽게 함

**(2) 정보화 시대에 요구되는 도덕적 자세**

1) **존중의 원칙** : 나 자신이 존중받기를 원하는 것처럼 타인을 존중해야 함

2) **책임의 원칙** : 내 행동으로 인한 결과를 생각하여 행동하고, 결과에 대한 책임을 질 수 있어야 함

3) **정의의 원칙** : 사이버 공간을 모든 사람에게 정보의 혜택이 고르게 돌아가는 정의로운 곳으로 만들어야 함

4) **해악 금지의 원칙** : 타인에게 피해를 주는 행위를 하지 않고, 피해 방지를 위해 노력해야 함

**3 정보 · 통신 매체의 올바른 사용 태도**

**(1) 정보 · 통신 매체의 올바른 사용 자세**

1) **정보 · 통신 매체의 무분별한 사용 문제**

① 정보의 양이 많은 만큼 부정확하고 틀린 정보도 많기 때문 : 정보가 아무리 많아도 그 내용이 정확하지 않으면 아무 소용이 없고 정보를 찾는 목적대로 활용할 수 없음

② 인터넷 중독과 정보 통신 매체의 과도한 사용이 심각한 사회 문제가 되기 때문 : 건강이 나빠지는 문제, 현실에서의 인간관계를 소홀히 하는 문제, 일상생활에 집중하지 못하는 문제 등이 생길 수 있음

③ 나쁜 평판의 원인이 되기 때문 : 인터넷이나 누리소통망(SNS)에 공개하는 글이나 사진 등이 지워지지 않고 남아 있으면 그 사람을 판단하고 해석하는 도구가 되기도 함

2) **정보 통신 매체의 올바른 사용 자세**

① 타인을 존중하는 태도 : 다른 사람을 존중하는 마음을 가지고 바른 언어를 사용함

② 절제하는 태도 : 컴퓨터나 휴대폰 등을 적절히 사용하고, 꼭 필요한 자료만 활용하며, 다른 사람과 대화를 하거나 댓글을 달 때는 감정을 조절함

③ 신중한 태도 : 정보는 막대한 영향을 미치기 때문에 정보 통신 매체를 사용할 때는 항상 신중해야 함

**(2) 정보 · 통신 매체의 올바른 사용 방법**

1) 필요한 경우에만 사용함

2) 사용이 허용되는 시간과 장소를 분명히 인식하며 사용함

3) 타인을 배려하고 성찰하는 자세를 지니고 사용함

4) 사용에 몰두하기보다 나에게 소중한 사람들의 관계를 신경써야 함

# 02 평화적 갈등 해결

**1 갈등은 왜 발생할까?**

**(1) 갈등의 의미와 유형**

  **1) 갈등의 의미** : 어떤 선택을 하지 못하고 망설이거나 괴로워하는 마음 상태, 또는 개인
  이나 집단 사이에 목표나 이해관계가 달라 서로 대립하거나 충돌하는 것

  **2) 갈등의 유형**

   ① 내적 갈등 : 한 개인의 내면에서 일어나는 심리적 갈등

   ② 외적 갈등 : 개인 사이 혹은 개인과 집단 사이 혹은 집단 사이의 갈등

**(2) 갈등의 원인**

  **1) 이해관계의 차이**

   ① 한정된 자원을 둘러싸고 이해관계가 충돌해 갈등이 발생함

   ② 집단 사이의 이해관계 충돌은 사회 전체에 큰 혼란을 불러오기도 함

  **2) 가치관의 차이**

   ① 자신의 신념과 가치관만이 옳다고 주장하는 경우 갈등이 발생함

   ② 세대 갈등, 종교 갈등, 문화 갈등 등은 신념과 가치관의 차이에서 비롯됨

  **3) 잘못된 의사소통**

   ① 서로 소통이 부족하면 상대방의 처지를 충분히 이해하지 못해 갈등이 발생함

   ② 상대방의 처지나 감정을 배려하지 않고 표현한다면 갈등을 일으킬 수 있음

**(3) 갈등을 어떻게 바라보아야 할까?**

  **1) 갈등을 바라보는 다양한 시각**

   ① 부정적 시각 : 갈등은 개인과 집단의 조화를 깨뜨리고 혼란을 일으킴 → 갈등을 피하
   거나 없애야 함

   ② 긍정적 시각 : 갈등은 사회 변화와 발전을 이끌어 냄 → 개인과 집단의 성장을 위해
   갈등은 꼭 필요함

  **2) 갈등을 바라보는 바람직한 자세**

   ① 갈등을 어떻게 다루느냐에 따라 결과가 달라짐 → 갈등 자체가 무조건 좋거나 나쁘다
   고 말하는 것은 바람직하지 않음

   ② 갈등을 인간 삶의 자연스러운 한 부분으로 인정하고 바람직하게 해결하고자 노력해야 함

## ② 평화적 갈등 해결

### (1) 갈등 상황에 대처하는 다양한 유형

#### 1) 회피형
① 문제가 없는 것처럼 갈등 자체를 무시해 버리거나 상황을 외면히고 갈등 해결을 미루는 유형
② 자기주장이 약하고 비협조적으로 행동함

#### 2) 순응형
① 상대방의 요구나 입장을 그대로 받아들이고 따르며 문제를 해결하는 유형
② 다른 사람과의 관계를 중요하게 생각하므로 수용적인 태도를 보임

#### 3) 공격형
① 갈등을 공격적으로 해결하는 유형
② 자신과 다른 의견을 인정하지 않으며 상대방을 존중하지 않음
③ 힘이나 폭력, 강압적인 방법을 사용하여 문제를 해결하려고 함

#### 4) 협동형
① 서로 협력하여 갈등을 해결하는 유형
② 상대방의 입장이나 의견을 무시하지 않으며, 대화를 함으로써 서로 양보하고 의논하여 합의된 결론에 도달하려고 노력함

### (2) 갈등을 평화적으로 해결해야 하는 이유

#### 1) 서로에 대한 이해와 신뢰 형성
① 대화를 통해 오해를 풀고 서로 더욱 존중하게 됨으로써 폭넓은 인간관계를 형성할 수 있음
② 서로 의논하여 모두가 만족할 수 있는 결과를 이끌어 냄으로써 양쪽 모두 이익을 얻을 수 있음

#### 2) 사회적으로 더 큰 폭력 예방 : 개인·사회·국가 간의 분쟁 등 여러 가지 갈등 상황에서 발생할 수 있는 폭력이나 전쟁을 미리 예방함 → 개인의 생명을 보호하고, 사회의 안전을 보장할 수 있음

## ③ 평화적 갈등 해결 방법

### (1) 갈등을 평화적으로 해결하는 데 필요한 태도

#### 1) 감정을 조절하고 상황을 이성적으로 판단하는 태도
① 화가 나면 잠시 쉬면서 마음을 가라앉히고 상황을 냉철하게 바라보아야 함
② 그런 다음에 상대방의 말을 잘 들어 주고 자기 생각을 자세히 전달하여야 함

2) 역지사지의 태도

　① 서로 생각의 차이를 인정하고 상대방의 생각을 존중해 주어야 함

　② 상대방에게 열린 마음을 가지고 서로 양보하고 의논하여야 함

3) 합의 결과를 수용하고 따르는 태도

　① 갈등의 당사자들이 대화와 타협을 하여 합의함

　② 합의한 결과가 자신의 주장과 다르더라도 이를 받아들이고 따라야 함

## (2) 갈등을 평화적으로 해결하는 방법

1) 협상

　① 다른 사람의 개입없이 갈등의 당사자끼리 직접 대화해 갈등을 해결하는 방법

　② 협상의 과정에서 서로 양보하고 타협해 의견이나 이해관계를 맞추어 원만한 합의를 이끌어 냄

2) 조정과 중재

　① 조정

　　· 중립적인 제삼자가 개입해 양측의 의사소통을 도움

　　· 조정인은 양측에 해결책을 내놓을 수 있지만, 이를 받아들일 것인지는 갈등의 당사자들이 선택할 수 있음

　② 중재

　　· 조정과 마찬가지로 중립적인 제삼자가 개입함

　　· 중재를 신청한 당사자들은 중재자가 제시한 해결책을 반드시 따라야 함

　③ 다수결의 원칙

　　· 당사자 간의 합의를 이끌어 내기 어려울 때 많은 사람이 동의하는 의견에 따름으로써 갈등을 해결해야 함

　　· 소수의 의견과 이익도 존중하면서 바람직한 해결 방안을 찾는 것이 중요함

---

**좋은 중재자의 특징**

· 중립형 : 어느 한쪽의 입장이나 편견에 치우치지 않고, 양쪽 입장을 객관적이고 공평하게 듣고 도움을 줌
· 경청의 자세 : 전 과정에서 양측의 입장을 주의 깊게 들음
· 비밀 보장 : 중재 과정에서의 모든 내용에 대해 함부로 발설하지 않음

# 03 폭력의 문제

**1 폭력의 비도덕성**

**(1) 폭력의 의미와 원인**

  **1) 폭력의 의미**

  ① 직·간접적인 방법으로 타인에게 물리적·정신적인 피해를 주는 행위

  ② 상대방의 생각과 감정을 무시하고 정당하지 않은 방식으로 자신의 의지를 강요하는 행위

  ③ 신체적 폭력과 같은 직접적인 공격 행위가 아니더라도 상대방의 인격과 존엄성을 훼손하는 행동도 폭력이 될 수 있음

  **2) 폭력의 원인**

  ① 개인적 원인 : 폭력 행위의 문제점을 알지 못하거나, 순간적인 충동이나 분노를 조절하지 못해서 폭력을 사용함

  ② 사회·문화적 원인 : 텔레비전, 인터넷 등 대중 매체에서 무분별하게 폭력 장면을 노출하거나, 사회 제도나 분위기가 폭력을 예방하고 규제하지 못해서 폭력이 발생함

**(2) 폭력이 비도덕적인 이유**

  **1) 인간의 존엄성 훼손**

  ① 폭력은 인간이라면 누구나 마땅히 누려야 하는 권리를 침해함

  ② 폭력은 인간의 존엄성을 훼손하는 비도덕적인 행위임

  **2) 피해자의 심각한 신체적·정신적 고통 :** 폭력의 피해자는 신체적·정신적으로 심각한 고통을 빚고, 학교나 사회에 적응하지 못할 수도 있으며, 자신을 부정적으로 여기게 됨

  **3) 폭력의 악순환**

  ① 폭력의 피해자가 상대방에 대한 혐오감과 복수심 때문에 다시 폭력을 사용할 수 있음

  ② 폭력적인 환경에 많이 노출된 경우, 폭력에 둔감해지므로 폭력을 쉽게 사용하게 될 수 있음

  **4) 사회적 혼란**

  ① 폭력이 되풀이되다 보면 결국 사회에 폭력적인 분위기가 퍼짐

  ② 폭력이 만연한 사회에서는 합리적이고 평화적으로 갈등을 해결하기가 어려움

  ③ 사회 정의와 질서가 무너지고 혼란이 발생할 수 있음

**2** 일상생활 속의 폭력

**(1) 개인적 폭력과 집단적 폭력**

  1) 폭력의 의미

    ① 개인적 폭력 : 한 사람이 우월한 힘을 이용하여 다른 사람에게 해를 끼치는 행위

    ② 집단적 폭력 : 두 명 이상이 특정한 개인에게 여러 형태의 폭력을 가하는 것

  2) 물리적 폭력과 구조적 폭력

    ① 물리적 폭력 : 신체에 직접적인 힘이 가해지는 것

    ② 구조적 폭력 : 주위 환경이나 사회 구조 때문에 간접적으로 발생

  3) 행위에 의한 폭력과 부작위에 의한 폭력

    ① 행위에 의한 폭력 : 구체적이고 직접적인 행위에 의한 폭력

    ② 부작위에 의한 폭력 : 폭력의 상황임을 알고도 일부러 이를 외면·방관하는 행위

**(2) 일상생활에서 나타나는 폭력 유형**

  1) 신체적 폭력

    ① 상대방의 신체에 물리적인 힘을 가하여 상해나 손상을 시키는 행위

    ② 손이나 발로 때려서 고통을 주는 것, 강제로 또는 속여서 일정한 장소로 오게 하거
     나 가두어 두는 것 등

  2) 언어적 폭력

    ① 상대방의 인격을 무시하거나 모욕하는 말을 하여 정신적·심리적 피해를 주는 행위

    ② 욕설이나 야유를 하는 것, 험담 하는 것, 나쁜 소문 퍼뜨리기 등

  3) **금품 갈취** : 돈을 걷어 오라고 하거나, 옷이나 문구 등을 빌리고 돌려주지 않는 행위

  4) **강요** : 의사에 어긋나는 행동을 하거나, 과제나 게임을 대신 할 것을 강요하는 행위

  5) **따돌림** : 지속해서 놀리거나 골탕을 먹이는 행위나, 상대방을 의도적이고 반복적으로
    피하는 행위

  6) **성폭력** : 신체 접촉이나 성적 언어를 통해 성적인 굴욕감이나 수치심을 느끼게 하는
    행위

  7) **사이버 폭력** : 가상공간에서 언어적 폭력과 정서적 폭력이 결합하여 나타나는 폭력

**3** 폭력의 대처 방안

**(1) 폭력의 원인**

  1) 개인적 원인

    ① 감정을 절제하는 능력이 부족하기 때문

② 공감 능력과 행위의 결과를 예측하는 능력이 부족하기 때문

③ 자신의 이익이나 목적을 이루기 위해 의도적으로 폭력을 사용하기 때문

④ 서로 간에 원활한 의사소통이 이루어지지 않기 때문

2) 사회적 원인

① 대중 매체를 통해 폭력에 많이 노출되면 폭력에 둔감해지기 때문

② 특정 집단이나 특수한 관계에서 행사되는 폭력을 당연한 것으로 받아들이기 때문

## (2) 폭력에 대처하는 방법

1) 자신이 폭력을 당한 경우 : 싫다는 의사를 명확하게 표현해야 함

2) 의사를 표현했음에도 폭력이 해결되지 않거나 의사 표현을 할 수 없는 경우 : 주변 사람들에게 적극적으로 도움을 요청해야 함

3) 다른 사람이 폭력을 당하는 것을 목격한 경우 : 방관하지 말고 피해자를 직·간접적으로 도와주어야 함

## (3) 폭력을 예방하는 방법

1) 개인적인 노력

① 자신의 감정을 절제하기

② 다른 사람을 이해하고 다름을 존중해 주는 관용의 자세 가지기

③ 배려와 존중에 근거하여 대화하고 소통하기

2) 사회적 노력

① 폭력을 예방하고 피해자를 보호해 줄 수 있는 법과 제도 갖추기

② 가해자가 받는 처벌과 피해자가 취해야 할 행동에 대한 교육 시행하기

E
t
h
i
c
s

II

# 사회·공동체 와의 관계

# 도덕적 시민

**1** 정의로운 국가

## (1) 국가의 기원과 역할

### 1) 국가의 기원

① 자연 발생설(아리스토텔레스) : 인간의 사회적 본성에 따라 가정을 이루고, 가정들이 모여 마을, 마을들이 모여 자연스럽게 국가가 형성되었다고 봄

② 사회 계약설(홉스, 로크, 루소)

· 개인의 필요에 의해 계약을 맺어 국가가 생겼다고 주장함

· 인간은 자연 상태에서 자신의 생명, 자유, 재산을 제대로 보호하기 어려우므로 이를 극복하기 위해 국가를 만들었다고 봄

### 2) 국가의 구성 요소

① 객관적 요소 : 국민, 영토, 주권

② 주관적 요소 : 연대의식

### 3) 국가의 역할

① 외부의 침입으로부터 국민을 보호하고, 영토를 지킴

② 사회 질서를 유지하고 국민의 안전한 생활을 보장함

③ 국민들 간의 갈등을 조정하고, 서로 협력하도록 함

④ 모든 국민이 최소한의 인간다운 삶을 살 수 있도록 노력함

⑤ 국민에게 소속감과 같은 정신적 안정감을 갖게 함

## (2) 국가 유형에 관한 견해

### 1) 소극적 국가관

① 기본 입장 : 국민 생활에 대한 국가의 개입을 최소화해야 함

② 국가의 역할 : 외적 침입 방어, 국내 치안 유지 등 국민의 생명과 안전을 보호하는 정도에 그침

### 2) 적극적 국가관

① 기본 입장 : 국가는 국민 생활에 적극 개입해야 함

② 국가의 역할 : 외적 침입 방어, 국내 치안 유지+복지 정책 시행 → 국민의 인간다운 삶을 보장하기 위해 적극적으로 노력

### (3) 정의로운 국가가 추구하는 가치

1) 정의로운 국가는 인간의 존엄성을 존중하고 보편적 가치를 실현함

2) **보편적 가치**

① 자유 : 다른 사람에게 피해를 주지 않는 범위에서 자유롭게 생각하고 행동함

② 평등 : 인간으로서 성별, 종교, 인종 등의 차이로 부당한 차별을 받지 않아야 함

③ 인권 : 인간으로서 당연히 누려야 하는 인간의 기본적 권리를 인정해야 함

④ 정의 : 사회적 약자를 보호하고 구성원을 정당하게 대우해야 함

⑤ 평화 : 갈등을 해결하고 위협에 대응해야 함

⑥ 복지 : 최소한의 인간다운 삶을 보장해야 함

## 2 시민이 갖추어야 할 자질

### (1) 성숙한 시민의 모습

1) **시민의 의미** : 한 국가의 주권자로서 권리와 의무를 가지며, 그에 따르는 책임을 다하는 자율적이고 주체적인 사람

2) **성숙한 시민이 갖추어야 할 자질**

① 배려와 공감의 자세 : 서로의 다름을 이해하고 상대방의 처지에서 생각하는 자세

② 의사 결정 과정에 적극적으로 참여 : 자신이 속한 공동체나 사회의 문제에 관심을 가지고 참여하는 태도

③ 사익과 공익을 조화롭게 추구 : 공익을 해치지 않는 범위 안에서 사익을 추구하려는 노력

### (2) 시민이 갖추어야 할 바람직한 애국심

1) **애국심**

① 나라를 사랑하는 미음

② 국토, 국민, 국가 정신에 대한 사랑까지 포함

2) **잘못된 애국심의 문제점** : 맹목적이거나 배타적인 애국심은 다른 나라의 존엄성을 훼손하고 세계 평화를 위협함

3) **바람직한 애국심**

① 분별력 있게 나라를 사랑하는 마음을 지녀야 함

② 보편적 가치에 어긋나는 맹목적이고 배타적인 애국심 경계

③ 세계 인류의 평화와 행복을 바라는 애국심

**3** 준법과 공익 증진

  (1) **준법의 의미와 도덕적 근거**

    1) **준법의 의미와 중요성**

      ① 준법의 의미 : 공동의 규범인 법을 지키는 것

      ② 준법의 중요성 : 국가의 질서 유지 및 발전에 도움, 나와 주변의 피해 발생 예방

    2) **준법의 이유**

      ① 법은 사회 구성원 간의 사회적 약속이기 때문

      ② 준법은 자발적인 복종이며, 지키지 않을 경우 처벌을 받기 때문

      ③ 법을 지키면, 개인과 공동체 모두에게 이익과 혜택이 됨


  (2) **시민 불복종**

    1) **시민 불복종의 의미** : 기본권을 침해하는 국가의 권력 행사를 합법적인 방법으로 막을 수 없을 때 국민이 가지는 불복종의 권리

    2) **시민 불복종의 조건**

      ① 목적의 정당성 : 공동선을 목적으로 추구되어야 함

      ② 비폭력성 : 폭력적인 방법으로는 시민의 안전을 보장할 수 없음

      ③ 최후의 수단 : 모든 합법적인 노력이 효과를 거두지 못할 경우 마지막 수단으로 사용해야 함

      ④ 책임성 : 불복종의 결과에 대해 책임지려는 의지를 가져야 함

# 02 사회 정의

**1 정의로운 사회를 추구하는 이유**

**(1) 사회 정의의 의미와 필요성**

1) 사회 정의의 의미

① 사회를 구성하고 유지하는 공정한 원리이자 덕목

② 각자에게 각자의 몫을 주는 것

2) **사회 정의의 필요성** : 다른 사람과의 협력을 통해 얻은 성과를 어떻게 분배할 것인가를 두고 구성원 사이에 갈등이 일어날 수 있음 → 구성원 사이의 갈등을 공정하게 해결할 기준이 필요함

**(2) 정의로운 사회의 조건**

1) **모든 구성원의 기본적인 권리를 평등하게 보장해야 함**

① 모든 인간은 존엄성을 바탕으로 기본적인 권리를 지님

② 정의로운 사회에서는 개인의 성별, 나이, 인종 등을 이유로 사회 구성원의 권리를 제한하지 않음

2) **구성원이 합의한 기준과 절차에 따라 몫을 분배해야 함**

① 분배의 기준과 절차를 정할 때는 모든 사회 구성원이 동등하게 참여하도록 해야 함

② 구성원들의 참여를 통해 마련된 기준과 절차를 따를 때 사회가 정의로워짐

3) **구성원이 공정하게 자신의 몫을 받을 수 있어야 함**

① 능력, 노력, 업적 등에 따른 정당한 분배가 이루어져야 함

② 사회적 약자를 배려해야 할 필요가 있음

---

분배의 다양한 기준

· 절대적 평등 : 모든 구성원에게 동등하게 분배함
· 업적 : 개인이 산출하는 결과에 따라 분배함
· 능력 : 개인이 습득한 능력에 따라 분배함
· 필요 : 인간의 욕구와 필요를 고려하여 분배함

---

(3) 정의로운 사회의 중요성

　　1) 불공정한 사회 규칙과 제도를 개선하여 사회 구성원 전체의 도덕적 삶을 실현함

　　2) 정의로운 사회는 도덕적 공동체와 인간다운 삶을 보장하기 위한 기반이 됨


## 2 공정한 경쟁의 조건

(1) 공정한 경쟁의 필요성

　　1) 공정한 경쟁의 장점

　　　　① 경쟁에 참여한 사람들이 노력한 만큼 정당한 몫을 얻을 수 있음

　　　　② 구성원이 더 많은 성취를 이루기 위해 협력하게 될 수 있음

　　　　③ 서로를 인정하는 태도를 바탕으로 한층 더 의욕을 가지고 노력하게 되므로 개인과 사회에 긍정적인 영향을 줄 수 있음

　　2) 불공정한 경쟁의 문제점

　　　　① 불공정한 수단과 방법을 사용하여 사회 구성원 간 신뢰와 협력이 불가능함

　　　　② 승자와 패자 사이의 불평등이 심화되어 사회 전체의 갈등과 혼란이 조상됨

(2) 공정한 경쟁의 조건

　　1) 경쟁 과정의 공정성

　　　　① 경쟁에 참여할 기회를 누구에게나 차별없이 보장해야 함

　　　　② 경쟁에 불리한 위치에 있는 사람에게 적절한 기회를 제공하여 능력과 노력에 따라 공정하게 경쟁할 수 있도록 해야 함

　　　　③ 다양한 사회 구성원의 합의를 통해 공정하게 경쟁의 규칙을 만들어야 함

　　2) 경쟁 결과의 공정성

　　　　① 규칙을 지키며 공정하게 경쟁에 참여한 사람이 정당한 보상을 받아야 함

　　　　② 경쟁 결과에 따라 기본적인 생활을 유지하기도 어려워진다면 그들은 다시 경쟁에 참여할 기회를 누리지 못하게 됨 → 경쟁에 뒤쳐진 사람에게 최소한의 인간다운 삶을 보장해야 함


## 3 부패의 원인과 예방

(1) 부패의 의미와 문제점

　　1) **부패의 의미** : 공정하지 못한 방법을 통해 자신의 이익을 추구하는 행위

　　2) **부패의 문제점**

　　　　① 개인과 사회의 도덕성을 훼손함

② 서로가 불신하는 사회 분위기가 조성되어 구성원 사이의 대립과 분열이 심화됨

③ 국가의 경쟁력이 약화됨

## (2) 부패의 원인

### 1) 개인의 이기심

① 공익을 해치면서까지 자신과 주변의 이익을 우선시하는 태도

② 나 한 명의 잘못은 큰 문제가 아니라는 안일한 생각

### 2) 사회의 잘못된 사회 풍토

① 혈연, 학연, 지연으로 맺어진 관계를 중시하고 다른 사람을 차별하는 연고주의

② 아는 사람에게 관대한 처분을 하는 정실주의

③ 과정이 잘못되었다고 해도 결과가 좋으면 용인되는 목표 지상주의

### 3) 잘못된 사회 제도의 운용 : 부패 예방을 위한 제도가 갖추어지지 않았거나, 부패 행위에 대한 처벌이 제대로 이루어지지 않거나, 업무 처리 기준이나 절차가 투명하지 못한 경우

## (3) 부패 방지를 위한 노력

### 1) 개인적 노력

① 청렴 의식 필요함

② 견리사의(見利思義), 선공후사(先公後私)의 자세 필요함

### 2) 제도적 노력 : 부패를 막기 위한 법과 제도를 마련해야 함

### 3) 사회적 노력 : 개인과 시민 단체의 부패 행위 감시 활동이 필요함

# 03 북한 이해

**1** 북한을 바라보는 관점

**(1) 북한에 대한 이해**

   **1) 북한에 대한 올바른 이해**

     ① 바람직한 남북 관계를 형성하여 통일을 이루기 위해서 중요함

     ② '있는 그대로의 북한'을 바라보는 것이 필요함

     ③ 객관적 사실과 보편적 가치에 기초하여 이해해야 함

   **2) 북한의 이중적 성격**

     ① 통일을 이루기 위한 협력의 대상

       · 민족 동질성을 회복하고 통일을 이루기 위해 함께 노력해야 함

       · 우리는 북한과 같은 언어와 풍습을 공유하고 있음

     ② 안보적 경계의 대상 : 남한과 북한은 정치적·군사적으로 대결하며 적대 관계를 지속하고 있음

   **3) 북한 정권과 북한 주민을 바라보는 시각**

     ① 북한 정권과 북한 주민을 같은 시각으로 바라보아서는 안 됨

     ② 북한 주민 중에는 인간으로서 누려야 할 기본적인 권리를 누리지 못하는 사람들이 많음 → 동포애를 바탕으로 북한 주민이 처한 현실에 관심을 가져야 함

**2** 북한 주민들의 생활

**(1) 북한 주민의 정치와 경제 생활**

   **1) 북한 주민의 정치 생활**

     ① 노동당 1당 독재 체제 : 노동당이 국가 권력의 핵심으로 최고의 권력을 가짐

     ② 모든 국가 정책들이 노동당의 지도와 통제 아래에서 추진됨

     ③ 주민들은 자유롭게 정치적 결정을 하거나 생각을 표현할 수 없음

   **2) 북한 주민의 경제 생활**

     ① 사회주의 계획경제 : 모든 생산수단을 국가가 소유하고, 개인의 재산을 인정하지 않으며, 국가 주도의 배급 중심으로 식량과 생필품을 지급 받음

     ② 북한 경제의 변화 : 1990년대 이후 경제난의 심화로 배급 체제 중단, 시장 경제 기능을 일부 도입(텃밭, 장마당)

**(2) 북한 주민의 사회, 문화 생활**

1) 북한 주민의 사회 생활

① 집단주의 : 개인보다 사회와 집단을 더 우선하게 생각함 ·· 북한 주민들은 평생 조직 생활을 해야 함

② 외형상으로는 평등하다고 하지만 출신 성분과 계급에 따라 차별이 존재함

2) 북한 주민의 문화 생활

① 교육 : 지도자에게 충성하고 집단주의 원칙에 복종하는 인간상을 지향함

② 문화 : 주민들의 사상을 통제하여 체제를 유지하기 위한 수단으로 작용함

**(3) 우리에게 북한 주민이라는 존재의 의미**

1) 민족 공동체의 구성원

① 북한 주민은 우리와 같은 민족 공동체의 구성원이므로 식량난이나 인권 문제 등 북한 주민의 삶에 나타나는 여러 문제에 관심을 기울여야 함

② 북한 주민들의 삶에서 보편적 가치가 구현될 수 있도록 노력해야 함

**3 북한 이탈 주민의 생활과 통일의 과제**

**(1) 북한 이탈 주민이 겪는 어려움**

1) 심리적 어려움

① 북한에 두고 온 가족에 대한 그리움과 죄책감

② 남한 주민의 편견과 차별에 따른 괴로움

③ 새로운 생활에 대한 두려움

2) 경제적 어려움

① 부정적인 선입견으로 인해 직장을 구하기 어려움

② 취업을 하더라도 불안정한 근로 조건과 낮은 임금으로 안정적인 생활을 유지하기 어려움

3) 문화적 어려움 : 가치관의 차이, 낯선 외래어의 사용으로 인한 어려움

**(2) 북한 이탈 주민들이 겪는 어려움을 통해 본 통일의 과제**

1) 개인적 차원 : 서로 배려하고 수용하는 자세를 지녀야 함

2) 사회적 차원 : 서로 만나고 교류할 수 있는 소통의 장을 많이 마련해야 함

3) 제도적 차원 : 법과 제도를 시대에 맞게 보완하여 북한 이탈 주민의 정착에 꼭 필요한 도움을 줄 수 있도록 해야 함

# 04 통일 윤리 의식

## 1 도덕적으로 바라본 통일의 필요성

### (1) 평화의 의미

1) **소극적 평화** : 생명과 신체의 안전이 보장되며, 전쟁이나 분쟁과 같은 직접적인 폭력이 없는 상태

2) **적극적 평화** : 전쟁이나 분쟁이 없을 뿐만 아니라 문화적 · 구조적 폭력도 없는 모든 구성원이 평등하게 인간다운 삶을 누릴 수 있는 상태

### (2) 통일의 필요성

1) **인도주의적 문제 해결** : 통일은 남북 이산가족과 실향민, 북한 주민이 겪고 있는 비인간적인 상황을 해소함

2) **새로운 민족 공동체 건설** : 통일은 민족의 정통성을 계승하고 동질성을 회복함으로써 우리 민족의 재도약을 위한 발판이 됨

3) **전쟁의 위협 제거와 평화 실현** : 통일은 전쟁의 공포에서 벗어나 평화를 누릴 수 있고 세계 평화에도 이바지할 수 있는 가장 확실한 방법

4) **경제적 발전과 번영** : 통일을 통한 새로운 성장 동력 확보로 한 차원 높은 국가 경쟁력을 갖출 수 있음

## 2 통일 한국의 모습

### (1) 통일 한국의 기본 조건

1) 다양성을 인정하고 서로 존중하며 배려하는 문화가 바탕을 이룬 구성원 모두가 주인이 되는 나라

2) 인간의 존엄성, 자유, 평등, 정의, 복지 등 인류 보편적 가치를 추구하는 나라

### (2) 통일 한국의 미래상

1) **자주적인 민족국가** : 정치 · 군사, 경제 · 문화적 측면에서 스스로의 목소리를 낼 수 있도록 국력이 신장된 국가

2) **자유 민주주의 국가** : 국민의 자유와 권리가 보장되고, 민주적으로 정책이 결정되는 국가

3) **정의로운 복지 국가** : 경제적 격차로 인한 불평등을 완화하고 구성원 모두가 인간답게 살 수 있는 국가

4) **수준 높은 문화 국가** : 전통문화를 바탕으로 세계의 문화를 창조적으로 수용하고, 우리의 다양한 문화를 세계화시킬 수 있는 국가

5) **국제적 위상이 높아진 국가** : 세계평화와 인류 공동 번영에 이바지 하는 국가

## ❸ 통일과 세계 평화에 기여하는 자세

### (1) 통일된 독일의 교훈

1) **독일의 통일 과정** : 통일 이전부터 서독 정부는 지속적으로 동독 포용 정책을 추진함
   → 1990년 동독이 서독에 편입되는 흡수 통일을 이룩함

2) **통일 이후의 갈등**
   ① 동독 주민들은 새로운 체제에 대한 혼란과 서독 주민에 대한 열등감을 느낌
   ② 서독 주민들은 세금 부담 증가, 물가 상승 등의 불만을 나타냄

3) **통일 독일의 교훈**
   ① 인내심을 지니고 서로에 대한 불신이나 적대감을 극복해 진정한 사회 통합을 이룰 수 있도록 준비해야 함
   ② 자유 민주주의의 정착, 남북한 각 지역의 고른 발전과 성장, 문화적 자원의 보존과 발전 등을 위해 함께 노력하는 통일 한국을 가꾸어 가야 함

### (2) 통일을 위한 사회적 차원의 노력

1) **민족의 동질성 회복**
   ① 자연스럽게 공감대를 형성하기 위해 겨레말 큰 사전 편찬 사업, 이산가족 상봉 등 다양한 협력을 해야 함
   ② 민족 동질성을 회복하고 남북 관계를 발전시킬 때 통일에 가까워질 수 있음

2) **평화로운 교류와 협력**
   ① 서로에 대한 이해와 존중을 바탕으로 교류와 협력이 이루어져야 함
   ② 교류 과정에서 서로의 안보와 평화를 해치는 행위를 하지 않도록 약속하고 실천해야 함

3) **법과 제도의 정비** : 통일 과정에서 문제가 발생했을 때 법과 질서에 따라 해결해야 통일이 지지를 받을 수 있음

4) **통일 비용의 마련**
   ① 통일을 이루는 과정과 통일 이후에는 남북한의 격차를 해소하는 데 드는 비용인 통일 비용이 발생함

② 국민의 지시와 합의를 바탕으로 통일 비용을 마련할 방안을 제시해야 함

### 5) 다양한 외교적 노력

① 통일에 우호적인 국제 분위기를 조성하기 위해 외교적 노력을 기울여야 함

② 남북한의 통일에 대한 국제 사회의 지지를 이끌어 내기 위해 우리의 통일이 세계 평화에 이바지할 것임을 알리고 협조를 구해야 함

## (3) 통일을 위한 개인적 차원의 노력

### 1) 개인적 차원의 노력

① 통일에 대한 관심을 가지고 관용적이고 개방적인 자세 갖추기

② 올바른 국가 안보 의식 갖추기

③ 평화를 사랑하는 마음을 바탕으로 세계 평화에 기여하려는 자세 지니기

### 2) 청소년이 가져야 할 자세

① 북한에 대한 편견을 버리고 차이를 이해하고 받아들이며, 서로 존중하는 자세 지니기

② 평화의 의미를 알고 일상생활에서 갈등을 평화적으로 보려고 노력하기

E
t
h
i
c
s

# III

# 자연·초월과의
# 관계

# 01 자연관

**1 인간과 자연의 관계**

**(1) 자연의 소중함**

　1) **자연이 소중한 이유** : 자연으로부터 얻은 혜택 때문만이 아니라, 자연과 자연에 속한 수많은 생명체는 그 자체로 소중하기 때문

　2) **인간과 자연의 관계**

　　① 인간을 포함한 자연의 모든 존재는 서로 영향을 주고받음

　　② 자연에 속한 모든 것의 가치를 소중히 여기며 조화롭게 살아야함

**(2) 환경 문제의 심각성**

　1) **환경 문제의 원인** : 자연의 자정능력을 넘어서는 자연 훼손

　2) **환경 문제의 영향**

　　① 대기 · 수질 · 토양 오염, 지구 온난화, 오존층 파괴

　　② 인간의 생명과 건강을 위협하는 다양한 질병 유발

　　③ 기상 이변과 생물 종(種) 감소 등 지구 생태계 위협

　3) **환경 문제 해결의 어려움**

　　① 영향을 미치는 범위가 넓어 책임이 분명하지 않음

　　② 현대의 환경 문제는 범위가 넓고 오랫동안 지속해 왔기에 장기간에 걸친 전문적 노력 및 막대한 비용이 필요함

**(3) 인간과 자연의 조화로운 삶**

　1) **환경 문제에 대한 고려**

　　① 무분별한 환경 파괴 → 환경 문제의 심각성을 깨닫게 됨

　　② 인간 중심의 가치관을 반성해야 함 → 도덕적 고려의 범위를 확장하려는 입장 등장

　2) **환경 친화적 자연관**

　　① 생태계의 모든 요소를 도덕적 고려 대상으로 포함하여 환경 파괴를 최소화함

　　② 미래 세대와 생태계의 지속 가능성을 고려해야 함

　　③ 인간의 필요와 생태계의 가치 간의 조화를 가능하게 만듦

## 2 환경에 대한 가치관과 소비 생활

### (1) 자연을 바라보는 관점

#### 1) 인간 중심주의적 자연관

① 인간을 자연보다 우월한 존재로 보고, 자연을 지배하고 이용할 수 있다고 봄

② 자연을 도구적 수단으로 봄 → 인간의 필요와 이익에 따라 자연을 사용할 수 있다고 봄

③ 한계 : 무분별한 자연 개발과 환경 파괴의 원인이 되기도 함

#### 2) 생태 중심주의적 자연관

① 인간과 동·식물, 산과 바다 같은 무생물은 모두 자연의 일부이며 그 자체로 소중하다고 봄

② 자연은 본래적 가치를 지니므로 그 자체로 존중하고 보호해야 한다고 여김

③ 한계 : 생태 중심주의적 자연관을 지나치게 강조하여 개발을 모두 거부하는 것은 비현실적임

### (2) 환경 친화적 소비 생활

#### 1) 환경 친화적 소비 생활의 의미 : 생태계가 지속될 수 있게 하는 소비 생활

#### 2) 환경 친화적 소비의 중요성

① 개개인이 환경을 생각하지 않는 소비가 모이면 환경 문제를 심화시키는 결과를 초래할 수 있음

② 물질에 대한 과도한 욕망으로 쉽게 사고 금방 버리는 소비를 하면 자원을 고갈시킬 수 있음

③ 경제적 합리성만 생각하고 소비하면 의도하지 않았다고 해도 지구 전체의 환경에 악영향을 미칠 수 있음

#### 3) 환경 친화적 소비 생활의 실천 사례

① 윤리적 소비 : 자신의 소비가 사회와 환경에 미치는 영향을 고려하는 소비

　　→ 공정 무역, 슬로푸드 운동, 로컬 푸드 운동

② 녹색 소비 : 환경에 미치는 영향을 최소화하는 소비

---

윤리적 소비의 사례

· 공정 무역 : 개발도상국의 경제적 자립과 지속 가능한 발전을 위해 더욱 유리한 무역 조건을 제공하는 무역의 형태
· 슬로푸드 운동 : 패스트 푸드를 반대하고 친환경적인 농산물을 이용한 먹거리의 생산과 방식을 지향하는 운동
· 로컬 푸드 운동 : 생활 지역과 가까운 곳에서 생산된 신선한 먹거리의 소비를 강조하는 운동

**3** 환경 친화적 삶을 위한 실천 방안

**(1) 환경 친화적인 삶의 필요성**

  1) 개발과 환경 보존은 인간이 살아가는 데 있어 모두 필요함

  2) 지속 가능한 발전을 위해 환경 친화적 삶의 방식을 실천해야 함

**(2) 환경 친화적 삶을 위한 실천 방안**

  1) **개인적 차원**

   ① 쓰레기 배출 감소 : 일회용품 사용하지 않기

   ② 자원의 효율적 활용 : 사용한 물건 재활용하기, 업사이클링 제품 사용하기 등

   ③ 에너지 절약 : 대중교통 이용하기, 사용하지 않는 전등 및 전자 제품 꺼두기 등

   ④ 저탄소 실천 생활화 : 가전제품 에너지 효율 확인하기

  2) **사회 · 제도적 차원**

   ① 생태계와 미래 세대에 영향력을 고려하여 정책 마련하기 : 환경 영향 평가 제도 시행 등

   ② 환경오염을 일으키는 행위를 규제하는 법과 제도 만들기 : 환경세 부과, 쓰레기 종량제 시행 등

   ③ 환경 친화적인 삶을 위한 노력을 권장하고 지원하는 제도 만들기 : 기업에 환경 친화적인 물건을 만들도록 장려하기 등

  3) **국제적 차원** : 환경 문제를 해결하기 위해 각종 국제 협약 체결하기

# 02 과학과 윤리

**1 과학 기술과 인간의 삶**

**(1) 과학 기술의 의미와 목적**

　**1) 과학 기술의 의미**

　　① 과학 : 자연을 탐구하고 과학적 진리를 발견하는 이론 체계

　　② 기술 : 과학적 지식을 활용하여 실제 생활에 다양한 필요를 충족해 주는 것

　　③ 과학 기술 : 과학의 객관적 지식을 활용하여 인간의 생활을 유용하게 하는 수단

　**2) 과학 기술의 목적**

　　① 수단적 목적 : 삶에 필요한 다양한 수단을 제공하는 것

　　② 궁극적 목적 : 삶의 질 향상을 통한 인간의 존엄성을 구현하는 것

**(2) 과학 기술을 통한 인간의 삶의 긍정적 영향**

　**1) 풍요롭고 편리한 삶** : 대량 생산으로 인해 물질적으로 풍요로운 삶과 전보다 많은 여가
　를 누릴 수 있게 됨

　**2) 시간과 공간의 제약 극복** : 교통·통신의 발달로 인해 먼 거리를 빠르게 이동하고, 인
　터넷에 접속하여 지구 반대편의 일을 실시간으로 알 수 있음

　**3) 건강 증진** : 의료 기술의 발달로 질병을 치료하고, 수명 연장에 도움을 줌

　**4) 지식과 문화의 확산** : 각종 매체의 발달로 지식과 사상이 빠르게 전파되고, 다수의 사
　람이 다양한 문화를 즐길 수 있게 됨

**2 과학 기술의 문제점과 한계**

**(1) 과학 기술에 따른 문제점**

　**1) 과학 기술에 지나치게 의존하려는 문제** : 인간의 주체성 상실과 비인간화 등

　**2) 생명의 존엄성을 훼손하는 문제** : 배아 복제, 유전자 조작, 동물 복제 등

　**3) 인류의 평화와 안전을 위협하는 문제** : 대량 살상 무기와 핵무기로 인한 잠재적 위험성
　증가 등

　**4) 인권 및 사생활 침해 문제** : 개인 정보 유출 및 감시와 통제, 과도한 사생활 노출 등

(2) 과학 기술의 한계와 위험성

1) 과학 기술의 한계

① 과거에 과학적 진리로 통하였던 이론이 잘못된 것으로 판명되는 경우가 존재함

② 새로운 과학 기술로 발생할 수 있는 문제를 예상할 수 없음

2) 과학 기술의 바람직한 발전 방향

① 과학 기술의 긍정적인 측면만을 강조하면 과학 기술의 위험성을 지나치기 쉬움

② 과학 기술이 올바른 방향으로 나아갈 수 있도록 반성하고 성찰하는 태도를 지녀야 함


**3** 과학 기술의 책임이 필요한 이유

(1) 과학 기술에 책임이 필요한 이유

1) 과학 기술의 목적 : 인간의 존엄성과 인간 삶에 대한 도덕적 고려를 토대로 인간의 삶을 개선하는 것

2) 과학 기술의 책임의 필요성

① 과학 기술의 결과를 예측하기 어렵기 때문

· 오늘날 과학 기술은 그 결과이 영향력을 예측하기 어려움

· 과학 기술은 그 기술이 활용된 분야나 그 기술을 활용한 사람뿐만 아니라 여러 방면에 복합적인 영향을 미칠 수 있음

② 과학 기술의 영향이 광범위하고 빠르게 전파되기 때문

· 과학 기술은 공간적으로뿐만 아니라 시간상으로도 파급력이 막대함

· 핵무기나 대량 살상 무기로 생기는 인명 피해, 원자력 발전소의 위험성, 화석 연료의 사용으로 발생하는 환경 오염, 컴퓨터 바이러스 등이 있음

③ 생명 과학 기술이 생명에 피해를 주는 일이 생길 수 있기 때문

· 생명 과학 기술은 인간과 동·식물을 직접 다루고 있음

· 생명을 인위적으로 조작하는 기술이 나중에 인류와 생태계에 어떤 영향을 줄지 정확히 알 수 없음


(2) 과학 기술을 책임 있게 활용하는 자세

1) 과학 기술자의 책임

① 과학 기술 개발의 목적이 타당한지 살펴봄

② 정보를 조작하거나 왜곡하지 않도록 함

③ 과학 기술이 가져올 긍정적 또는 부정적 결과에 대한 고려가 필요함

**2) 과학 기술에 대한 사회적 책임**

　① 기술 영향 평가 등의 제도적 상시를 마련해야 함

　② 연구 개발의 타당성을 검증하고, 과학 기술을 적절하게 심시하고 통제해야 함

**3) 과학 기술을 책임 있게 활용하는 자세**

　① 인간의 존엄성과 인권을 존중하는 자세 : 과학 기술이 무고한 사람들을 해칠 수 있는 방향으로 활용된다면 바로 활용을 중지해야 함, 과학 기술이 가져오는 이익과 편리함보다 인간의 존엄성과 인권을 더 소중하게 생각해야 함

　② 동·식물의 생명과 생태계를 보전하는 자세 : 한번 훼손된 생명과 생태계는 원상회복이 어려우므로 생명과 생태계를 적극적으로 보호해야 함

　③ 미래 세대를 고려하는 자세 : 과학 기술의 결과는 현재뿐만 아니라 미래까지 영향을 미치며, 지구는 미래 세대가 살아갈 터전이므로 지구를 보존하여 온전히 물려주어야 함

# 03 삶의 소중함

**1** 삶을 소중하게 만들어 주는 것

**(1) 삶의 소중함**

   1) 생명의 소중함

     ① 생명의 소중함

- 하나밖에 없음
- 대체할 수 없음
- 한번 잃으면 돌이킬 수 없음
- 시간상으로 시작과 끝이 있음

     ② 생명은 소중하며, 생명을 바탕으로 한 삶 역시 소중함

   2) 동·서양의 생명 존중 사상

     ① 불교 : 생명을 해치는 것이 가장 큰 죄이고 죽어 가는 생명을 살리는 것이 가장 큰 자비

     ② 그리스도교 : 생명은 신이 준 것이므로 함부로 해서는 안 되는 소중한 것

     ③ 슈바이처 : 살려고 하는 모든 생명을 존중해야 하고, 생명을 잘 살도록 해 주는 것이 선이고 생명을 해치는 것은 악

   3) 생명 경시 풍조

     ① 생명 경시 풍조의 의미 : 자신 또는 타인의 생명을 가볍게 여기는 태도

     ② 생명 경시 풍조의 문제점 : 인간의 존엄성을 부정하고 진정한 생명의 가치를 이해하지 못함

**(2) 우리의 삶을 소중하게 만들어 주는 것**

   1) 소중한 삶을 의미 있게 만들기 위해 필요한 태도

     ① 우리가 생명을 지니고 있는 존재라는 사실 : 한 사람의 생명은 소우주와 같이 소중한 것이어서 우리는 본능적으로 생명을 아끼고 귀하게 여기기 때문에 생명을 지니고 있는 존재라는 사실은 우리의 삶을 소중하게 만들어 줌

     ② 나를 아껴 주는 사람들의 존재 : 나는 가족과 친구들, 이웃들의 사랑과 관심, 배려가 있어서 존재할 수 있으므로 나를 아껴 주는 사람들의 존재와 그들과의 관계는 내 삶을 더욱 소중하게 만들어 줌

③ 적극적이고 능동적인 자세 : 자신의 삶을 개척하기 위해 일상생활에서부터 적극적이고 능동적인 자세를 갖추면 크고 작은 성취를 이루고 행복을 느낌으로써 삶의 소중함을 깨달을 수 있음

2) 사회적 노력
  ① 생명을 존중하고 아끼는 사회적 풍토 확립
  ② 생명 보호를 위한 법과 제도의 강화

## ❷ 죽음에 대한 올바른 이해

### (1) 죽음의 의미와 특성

1) 죽음의 의미
  ① 인간의 육체적 기능과 의식이 완전히 정지해 생명이 끊어지는 것
  ② 인간의 의지와 노력으로 어찌할 수 없는 한계 상황

2) 죽음의 특성
  ① 보편성 : 모든 사람이 맞이하는 것
  ② 불가피성 : 누구도 피할 수 없는 것
  ③ 일회성 : 누구나 단 한 번 겪는 것

3) 죽음이 두려운 이유 : 직접 경험할 수 없으며 모든 것과의 이별이기 때문

4) 죽음의 진정한 의미
  ① 죽음을 두려움과 슬픔의 대상으로만 생각할 필요는 없음
  ② 죽음은 인생의 가치를 깨닫는 계기가 됨

### (2) 죽음을 대하는 태도

1) 자연스러운 과정으로 이해 : 생명체로서의 생명을 다하는 것으로 이해하기
2) 사고 예방을 위한 노력 : 갑작스러운 사건에 의한 죽음을 예방하기
3) 생명을 지키기 위해 노력 : 충동적이고 돌이킬 수 없는 죽음을 예방하기

### (3) 인간의 삶에 관한 이해

1) 죽음에 대한 성찰 : 삶을 더욱 보람있게 살아갈 수 있음
2) 삶이 한정되어 있다는 사실 : 삶을 더욱 소중하게 만듦
3) 죽음에 대한 올바른 이해 : 적극적이고 능동적인 삶으로 인도함

**3** 삶을 의미 있게 살아가는 방법

(1) 의미 있는 삶

  1) **삶의 유한성** : 인간의 삶은 영원하지 않고 일정한 한계가 있음

  2) **의미 있는 삶의 모습**

    ① 스스로 선택하고 결정하며 행동하는 삶 : 삶 속에서 내가 한 선택과 결정이 행동으로 나타나 내 삶의 전체적인 모습과 삶의 의미를 만들어 감

    ② 의미 있는 삶을 추구하기 위해 노력하는 삶 : 어떤 상황에서도 의미 있는 삶을 추구하기 위해 노력한다면 힘들고 괴로운 상황에 처하게 되더라도 이겨 낼 수 있고 더 나은 삶을 꿈꿀 수 있음

    ③ 타인을 소중히 여기고 배려하는 삶 : 나의 삶뿐만 아니라 타인의 삶도 소중히 여기고 배려하면 자신을 떳떳하고 자랑스럽게 여길 수 있고, 내 삶을 더욱 의미 있게 만들어 갈 수 있음

(2) 의미 있는 삶을 위한 노력

  1) 현재의 삶에 충실하기

  2) 시련과 한계 극복하기

  3) 주체적인 삶의 자세 기르기

  4) 정신적 가치 추구하기 : 진(眞), 선(善), 미(美), 성(聖)

# 04 마음의 평화

**1 고통에 올바르게 대처하는 자세**

**(1) 고통의 의미와 원인**

　1) **고통의 의미** : 몸과 마음이 느끼는 아픔과 괴로움

　2) **고통의 종류**

　　① 신체적 고통 : 건강상의 이유, 신체에 가해지는 물리적인 충격 등으로 발생

　　② 정신적 고통 : 가슴 아픈 경험, 슬픈 일, 불만족, 결핍감, 다른 사람과의 갈등, 고민 등으로 발생

　3) **고통의 원인**

　　① 자신으로 인해 발생하기도 하지만, 자신의 의지와 상관없이 생겨나기도 함

　　② 다른 사람이나 전쟁, 자연재해, 불합리한 사회 구조 때문에 생기기도 함

　4) **고통의 역할**

　　① 고통을 느낌으로써 위험한 상황을 피할 수 있음

　　② 고통을 기억함으로써 똑같은 고통을 다시 겪지 않도록 주의를 기울일 수 있음

　　③ 자신의 고통을 떠올림으로써 다른 사람의 고통에도 관심을 가지게 됨

> **고통의 원인에 대한 다양한 견해**
>
> · 불교 : 집착과 욕심
> · 도가 : 인위적인 지식과 욕구
> · 그리스도교 : 신과의 단절과 죄
> · 쇼펜하우어 : 무한한 욕망으로서의 맹목적인 의지
> · 야스퍼스 : 인간이 극복할 수 없는 극한의 한계 상황

**(2) 고통에 올바르게 대처하는 방법**

　1) 고통을 있는 그대로 바라보아야 함

　2) 불필요한 욕심과 집착을 줄여야 함

　3) 자신을 고통스럽게 하는 환경과 상황을 변화시키기 위해 노력해야 함

4) 상황을 변화시키기 어렵다면 적극적인 자세로 고통을 마주해야 함

5) 다른 사람의 고통에 관심을 가지고 내가 도울 수 있는 일을 찾아서 실천해야 함

## 2 마음의 평화와 나의 희망

### (1) 마음의 평화

1) **마음의 평화의 의미** : 고통, 욕심, 분노, 질투 등의 감정을 잘 다스려 평안하고 고요한 마음의 상태

2) **마음의 평화의 중요성**

① 마음을 다스리지 못하면 스스로 괴로움을 느끼게 되거나 쉽게 화를 내게 됨

② 부정적 감정을 조절하지 못하여 자신뿐만 아니라 다른 사람도 불행하게 만들 수 있음

### (2) 마음의 평화를 얻는 방법

1) **마음의 평화를 위한 동·서양의 실천 방법**

① 불교 : 교리 공부나 참선을 통해 마음을 다스려 깨달음을 얻고자 함

② 유교 : 경과 신독을 통해 일상생활에서 마음을 다스리고자 함

③ 도가 : 세상을 편견 없이 열린 마음으로 대하기 위해 마음을 비우는 심재 강조

④ 그리스도교 : 예배와 성경 읽기, 기도를 통해 평안을 얻고자 함

2) **마음의 평화를 얻기 위한 방법**

① 지나친 욕심을 버리고 절제하는 자세 : 욕심이 지나치면 남과 비교하면서 몸과 마음이 고통을 받게 되므로 지나친 욕심을 절제하여야 함

② 자신의 모습을 있는 그대로 바라보고 긍정하는 자세 : 자신의 장단점을 인정하고, 노력을 통해 부족한 점을 고치면 자신을 긍정하고 다른 사람도 긍정적으로 바라볼 수 있음

③ 다른 사람의 실수나 잘못을 용서하는 자세 : 누구나 실수할 수 있다는 생각을 가지고 다른 사람을 용서하면 미움, 분노 등이 가라앉고 마음의 평화를 이룰 수 있음

### (3) 희망

1) **희망의 의미** : 아직 이루어지지 않은 무언가를 바라면서 더 나은 삶을 꿈꾸는 것

2) **희망의 중요성**

① 인간은 희망을 품고 살아가는 존재임

② 희망은 삶의 의미를 찾을 수 있게 함

③ 희망은 어떤 어려움도 극복할 수 있는 용기를 지니게 함

④ 희망은 더 나은 미래를 위해 협력하게 함 → 사회 발전의 원동력

### 3) 다양한 차원의 희망

① 개인적 차원의 희망 : 개인의 삶에서 실현되기를 바라는 크고 작은 희망

② 사회적 차원의 희망 : 우리 사회가 미래에 더 나아질 것이라고 기대하는 희망

③ 초월적 차원의 희망 : 현실 세계를 넘은 이상 세계에 대한 희망

### 4) 희망과 행복한 삶

① 풍족한 환경에서도 희망이 없다면 삶의 즐거움을 느끼기 어려움

② 어려운 환경에서도 희망이 있다면 행복할 수 있고 사회 발전에 기여할 수도 있음

---

**희망과 관련된 격언**

· 행복의 원칙은
  첫째, 어떤 일을 할 것,
  둘째, 어떤 사람을 사랑할 것,
  셋째, 어떤 일에 희망을 가질 것이다.

  – 임마누엘 칸트

· 희망이란 본래 있다고도 할 수 없고 없다고도 할 수 없다. 그것은 마치 땅 위의 길과 같은 것이다. 본래 땅 위에는 길이 없었다. 한 사람이 먼저 가고 걸어가는 사람이 많아지면 그것이 곧 길이 되는 것이다. – 루쉰

# 도덕

| | | |
|---|---|---|
| 인쇄일 | | 2022년 9월 13일 |
| 발행일 | | 2022년 9월 20일 |
| 펴낸이 | | (주)매경아이씨 |
| 펴낸곳 | | 도서출판 국자감 |
| 지은이 | | 편집부 |
| 주소 | | 서울시 영등포구 문래2가 32번지 |
| 전화 | | 1544-4696 |
| 등록번호 | | 2008.03.25 제 300-2008-28호 |
| ISBN | | 979-11-5518-114-0     13370 |

# 국자감 전문서적

## 기초다지기 / 기초굳히기

**"기초다지기, 기초굳히기 한권으로 시작하는 검정고시 첫걸음"**

· 기초부터 차근차근 시작할 수 있는 교재
· 기초가 없어 시작을 망설이는 수험생을 위한 교재

## 기본서

**"단기간에 합격! 효율적인 학습!
적중률 100%에 도전!"**

· 철저하고 꼼꼼한 교육과정 분석에서 나온 탄탄한 구성
· 한눈에 쏙쏙 들어오는 내용정리
· 최고의 강사진으로 구성된 동영상 강의

## 만점 전략서

**"검정고시 합격은 기본! 고득점과 대학진학은 필수!"**

· 검정고시 고득점을 위한 유형별 요약부터
  문제풀이까지 한번에
· 기본 다지기부터 단원 확인까지 실력점검

## 핵심 총정리

"시험 전 총정리가 필요한 이 시점! 모든 내용이 한눈에"

· 단 한권에 담아낸 완벽학습 솔루션
· 출제경향을 반영한 핵심요약정리

## 합격길라잡이

"개념 4주 다이어트, 교재도 다이어트한다!"

· 요점만 정리되어 있는 교재로 단기간 시험범위 완전정복!
· 합격길라잡이 한권이면 합격은 기본!

## 기출문제집

"시험장에 있는 이 기분! 기출문제로 시험문제 유형 파악하기"

· 기출을 보면 답이 보인다
· 차원이 다른 상세한 기출문제풀이 해설

## 예상문제

"오랜기간 노하우로 만들어낸 신들린 입시고수들의 예상문제"

· 출제 경향과 빈도를 분석한 예상문제와 정확한 해설
· 시험에 나올 문제만 예상해서 풀이한다

# 한양 시그니처 관리형 시스템

#정서케어  #학습케어  #생활케어

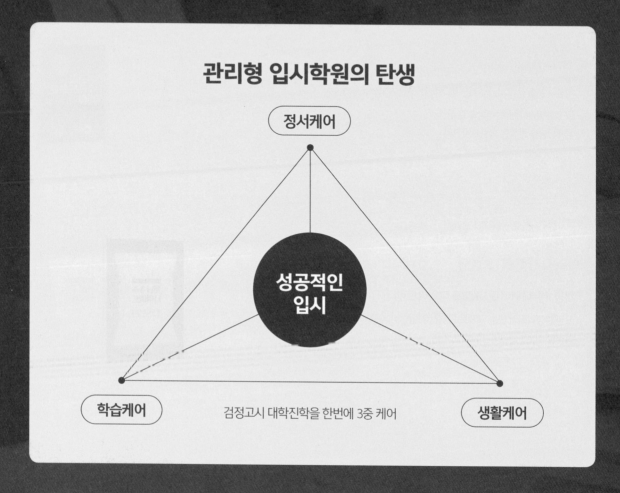

## 관리형 입시학원의 탄생

정서케어

성공적인 입시

학습케어

검정고시 대학진학을 한번에 3중 케어

생활케어

---

### ⚠ 정서케어

· 3대1 멘토링
 (입시담임, 학습팀임, 상담교사)
· MBTI (성격유형검사)
· 심리안정 프로그램
 (아이스브레이크, 마인드 코칭)
· 대학탐방을 통한 동기부여

### 🖥 학습케어

· 1:1 입시상담
· 수준별 수업제공
· 전략과목 및 취약과목 분석
· 성적 분석 리포트 제공
· 학습플래너 관리
· 정기 모의고사 진행
· 기출문제 & 해설강의

### 🏠 생활케어

· 출결짐킴 빛 소퇴, 결석 체크
· 자습공간 제공
· 쉬는 시간 및 자습실
 분위기 관리
· 학원 생활 관련 불편사항
 해소 및 학습 관련 고민 상담

HANYANG ACADEMY

# 한양 프로그램 한눈에 보기

## · 검정고시반  중·고졸 검정고시 수업으로 한번에 합격!

| 기초개념 | 기본이론 | 핵심정리 | 핵심요약 | 파이널 |
|---|---|---|---|---|
| 개념 익히기 | 과목별 기본서로 기본 다지기 | 핵심 총정리로 출제 유형 분석 경향 파악 | 요약정리 중요내용 체크 | 실전 모의고사 예상문제 기출문제 완성 |

## · 고득점관리반  검정고시 합격은 기본 고득점은 필수!

| 기초개념 | 기본이론 | 심화이론 | 핵심정리 | 핵심요약 | 파이널 |
|---|---|---|---|---|---|
| 전범위 개념익히기 | 과목별 기본서로 기본 다지기 | 만점 전략서로 만점대비 | 핵심 총정리로 출제 유형 분석 경향 파악 | 요약정리 중요내용 체크 오류범위 보완 | 실전 모의고사 예상문제 기출문제 완성 |

## · 대학진학반  고졸과 대학입시를 한번에!

| 기초학습 | 기본학습 | 심화학습/검정고시 대비 | 핵심요약 | 문제풀이, 총정리 |
|---|---|---|---|---|
| 기초학습과정 습득 학생별 인강 부교재 설정 | 진단평가 및 개별학습 피드백 수업방향 및 난이도 조절 상담 | 모의평가 결과 진단 및 상담 4월 검정고시 대비 집중수업 | 자기주도 과정 및 부교재 재설정 4월 검정고시 성적에 따른 재시험 및 수시컨설팅 준비 | 전형별 입시진행 연계교재 완성도 평가 |

## · 수능집중반  정시준비도 전략적으로 준비한다!

| 기초학습 | 기본학습 | 심화학습 | 핵심요약 | 문제풀이, 총정리 |
|---|---|---|---|---|
| 기초학습과정 습득 학생별 인강 부교재 설정 | 진단평가 및 개별학습 피드백 수업방향 및 난이도 조절 상담 | 모의고사 결과진단 및 상담 / EBS 연계 교재 설청 / 학생별 학습성취 사항 평가 | 자기주도 과정 및 부교재 재설정 학생별 개별지도 방향 점검 | 전형별 입시진행 연계교재 완성도 평가 |

HANYANG ACADEMY

# D-DAY를 위한 신의 한수

# 모든 수험생이 꿈꾸는
# 더 완벽한 입시 준비!

- 입시전략 컨설팅
- 수시전략 컨설팅
- 자기소개서 컨설팅
- 면접 컨설팅
- 논술 컨설팅
- 정시전략 컨설팅

---

## 입시전략 컨설팅

학생 현재 상태를 파악하고 희망 대학
합격 가능성을 진단해 목표를 달성
할 수 있도록 3중 케어

## 수시전략 컨설팅

학생 성적에 꼭 맞는 대학 선정으로
합격률 상승! 검정고시 (혹은 모의고사)
성적에 따른 전략적인 지원으로 현실성
있는 최상의 결과 보장

## 자기소개서 컨설팅

지원동기부터 학과 적합성까지 한번에!
학생만의 스토리를 녹여 강점은
극대화 하고 단점은 보완하는
밀착 첨삭 자기소개서

## 면접 컨설팅

기초인성면접부터 대학별 기출예상질문
대비와 모의촬영으로 실전면접
완벽하게 대비

## 대학별 고사 (논술)

최근 5개년 기출문제 분석 및 빈출 주제를
정리하여 인문 논술의 트렌드를 강의!
지문의 정확한 이해와 글의 요약부터
밀착형 첨삭까지 한번에!

## 정시전략 컨설팅

빅데이터와 전문 컨설턴트의 노하우 /
실제 합격 사례 기반 전문 컨설팅

---

HANYANG
ACADEMY

# MK 감자유학

Valuable education content provider

## We're Experts

우리는 최상의 유학 컨텐츠를 지속적으로 제공하기 위해 정기 상담자 워크샵, 해외 워크샵, 해외 학교 탐방, 웨비나 미팅, 유학 세미나를 진행합니다.

이를 통해 국가별 가장 빠른 유학트렌드 업데이트, 서로의 전문성을 발전시키며 다양한 고객의 니즈에 가장 적합한 유학솔루션을 제공하기 위해 최선을 다합니다.

## KEY STATISTICS

**30년+**
전통교육그룹

**17개**
국내최다센터

**15년**
평균상담경력

**24개국**
해외네트워크

**2,600+**
해외교육기관

### Educational
감자유학은 교육전문그룹인 매경아이씨에서 만든 유학부문 브랜드입니다. 국내 교육 컨텐츠 개발 노하우를 통해 최상의 해외 교육 기회를 제공합니다.

### The Largest
감자유학은 전국 어디에서도 최상의 해외유학 상담을 제공할 수 있도록 국내 유학 업계 최다 상담 센터를 운영하고 있습니다.

### Specialist
전 상담자는 평균 15년이상의 풍부한 유학 컨설팅 노하우를 가진 전문가 입니다. 이를 기반으로 감자유학만의 차별화된 유학 컨설팅 서비스를 제공합니다.

### Global Network
미국, 캐나다, 영국, 아일랜드, 호주, 뉴질랜드, 필리핀, 말레이시아 등 감자유학 해외 네트워크를 통해 발빠른 현지 정보 업데이트와 안정적인 현지 정착 서비스를 제공합니다.

### Oversea Institutions
고객에게 최상의 유학 솔루션을 제공하기 위해서는 다양하고 세분화된 해외 교육기관의 프로그램이 필수 입니다. 2천개가 넘는 교육기관을 통해 맞춤 유학 서비스를 제공합니다.

2020
대한민국 교육 산업
유학 부문 대상

2012 / 2015
대한민국 대표
우수기업 1위

2014 / 2015
대한민국 서비스
만족대상 1위

# OUR SERVICES

현지 관리
안심시스템

엄선된
어학연수교

전세계 1%대학
입학 프로그램

전문가
1:1 컨설팅

All In One
수속 관리

해외
**어학연수**

English Language Study

해외
**인턴십**

Internship

해외
**대학유학**

University Level Study

해외
**초중고유학**

Early Study abroad

해외
**영어캠프**

English Camp

**24개국 네트워크** 미국 ㅣ 캐나다 ㅣ 영국 ㅣ 아일랜드 ㅣ 호주 ㅣ 뉴질랜드 ㅣ 몰타 ㅣ 싱가포르 ㅣ 필리핀

---

국내 유학업계 중 최다 센터 운영!

# 감자유학 전국센터

| 강남센터 | 강남역센터 | 분당서현센터 | 일산센터 | 인천송도센터 |
|---|---|---|---|---|
| 수원센터 | 청주센터 | 대전센터 | 전주센터 | 광주센터 |
| 대구센터 | 울산센터 | 부산서면센터 | 부산대연센터 | |
| 예약상담센터 | 서울충무로 | 서울신도림 | 대구동성로 | |

문의전화 **1588-7923**

# 왕초보 영어탈출 **구구단 잉글리쉬**

*ABC 알파벳부터 회화까지~~ 구구단보다 쉬운영어~ ♪♬*

**01** | **구구단잉글리쉬는 왕기초 영어 전문 동영상 사이트 입니다.**
알파벳 부터 소리값 발음의 규칙 부터 시작하는 왕초보 탈출 프로그램입니다.

**02** | **지금까지 영어 정복에 실패하신 모든 분들께 드리는 새로운 영어학습법!**
오랜기간 영어공부를 했었지만 영어로 대화 한마디 못하는 현실에 답답함을 느끼는 분들을
위한 획기적인 영어 학습법입니다.

**03** | **언제, 어디서나 마음껏 공부할 수 있는 환경을 제공해 드립니다.**
인터넷이 연결된 장소라면 시간 상관없이 24시간 무한반복 수강!
태블릿 PC와 스마트폰으로 필기구 없이도 자유로운 수강이 가능합니다.

## 체계적인 단계별 학습

| 파닉스 | 어순 | 뉘앙스 | 회화 |
|---|---|---|---|
| · 알파벳과 발음<br>· 품사별 기초단어 | · 어순감각 익히기<br>· 문법개념 총정리 | · 표현별 뉘앙스<br>· 핵심동사와 전치사로<br>표현력 향상 | · 일상회화&여행회화<br>· 생생 영어 표현 |

| 파닉스 | | 어순 | | 어법 |
|---|---|---|---|---|
| 1단 발음트기 | 2단 단어트기 | 3단 어순트기 | 4단 문장트기 | 5단 문법트기 |
| 알파벳 철자와<br>소릿값을 익히는<br>발음트기 | 666개 기초 단어를<br>품사별로 익히는<br>단어트기 | 영어의 기본어순을<br>이해하는 어순트기 | 문장확장 원리를<br>이해하여 긴 문장을<br>활용하여 문장트기 | 회화에 필요한<br>핵심문법 개념정리!<br>문법트기 |

| 뉘앙스 | | 회화 | |
|---|---|---|---|
| 6단 느낌트기 | 7단 표현트기 | 8단 대화트기 | 9단 수다트기 |
| 표현별 어감차이와<br>사용법을 익히는<br>느낌트기 | 핵심동사와 전치사<br>활용으로 쉽고<br>풍부하게 표현트기 | 일상회화 및<br>여행회화로<br>대화트기 | 감 잡을 수 없었던<br>네이티브들의<br>생생표현으로 수다트기 |